Tout un programme

Du même auteur
chez le même éditeur :

Méchant samedi, collection Chat de gouttière, 1999

Les vrais livres, collection Ma petite vache a mal aux pattes, 2002

Chez d'autres éditeurs :

Petites histoires de filles, éd. Sedes, 2005

Le mensonge de Gonzague, coll. Le chat et la souris, éd. Michel Quintin, 2004

Princesse Éloane et le dragon, coll. Saute-mouton, éd. Michel Quintin, 2003

Les fausses notes de Gonzague, coll. Le chat et la souris, éd. Michel Quintin, 2003

Gonzague est amoureux, coll. Le chat et la souris, éd. Michel Quintin, 2003

Vente de garage chez ma mère, coll. Le chat et la souris, éd. Michel Quintin, 2002

Gonzague veut dormir, coll. Le chat et la souris, éd. Michel Quintin, 2001

Princesse cherche prince charmant, coll. Saute-mouton, éd. Michel Quintin, 2001

Gonzague organise un concours, coll. Le chat et la souris, éd. Michel Quintin, 2000

Le pari de Gonzague, coll. Le chat et la souris, éd. Michel Quintin, 2000

Gonzague, le loup végétarien, coll. Le chat et la souris éd. Michel Quintin, 1999

Ma mère part en voyage, coll. Le chat et la souris, éd. Michel Quintin, 1999

Ma mère poule, coll. Le chat et la souris, éd. Michel Quintin, 1999

Le cadeau, coll. Conquêtes, éd. Pierre Tisseyre, 1993

La bouteille vide, Coll. Conquêtes, éd. Pierre Tisseyre, 1992

Daniel Laverdure

Tout un programme

illustré par

Elisabeth Eudes-Pascal

case postale 36563 — 598, rue Victoria
Saint-Lambert (Québec) J4P 3S8

Soulières éditeur remercie le Conseil des Arts du Canada et la SODEC de l'aide accordée à son programme de publication et reconnaît l'aide financière du gouvernement du Canada par l'entremise du Programme d'Aide au Développement de l'Industrie de l'Édition (PADIÉ) pour ses activités d'édition. Soulières éditeur bénéficie également du Programme de crédit d'impôt pour l'édition de livres – Gestion Sodec – du gouvernement du Québec.

Dépôt légal : 2006
Bibliothèque nationale du Canada
Bibliothèque nationale du Québec

Données de catalogage avant publication (Canada)

Laverdure, Daniel

Tout un programme
(Collection Chat de gouttière ; 22)

Pour les jeunes de11 ans et plus.

ISBN-13: 978-2-89607-041-1
ISBN-10: 2-89607-041-9

I. Eudes-Pascal, Élisabeth. II. Titre. III. Collection.
PS8573.A816T68 2006 jC843'.54 C2006-940812-2
PS9573.A816T68 2006

Illustration de la couverture
et illustrations intérieures :
Elisabeth Eudes-Pascal

Conception graphique de la couverture :
Annie Pencrec'h

ISBN-13: 978-2-89607-041-1
ISBN-10: 2-89607-041-9

58922

Pour tous ceux et celles qui n'ont pas encore lu cette histoire parce qu'ils regardent trop la télévision.

« Avec la maudite télévision,
le monde apprend ben plus à ronfler qu'à parler. »
Roch Carrier,
Le Jardin des délices

Sans la télé, bien des gens sur cette planète
ne sauraient pas quoi faire de leur divan.
Socrate

Pourquoi est-ce que je dors
devant la télévision au salon
et qu'elle m'empêche de
dormir dans ma chambre ?
Un grand perturbé

Ceux qui disent que la télévision
est le reflet de notre société
n'ont pas beaucoup réfléchi.
Un miroir

C'est la troisième fois que je change
de téléviseur ce mois-ci et, pourtant,
je finis toujours par regarder les mêmes émissions.
Un routinier

Mise en garde

Contrairement aux apparences, ceci n'est pas un livre, mais une émission de télévision. Si certains aspects de cette émission peuvent faire penser à un livre et créer ainsi une confusion chez le téléspectateur, le président du réseau, M. Gratien Gratton et son cousin Bernard Gratton, directeur de la programmation, tiennent à s'en excuser.

Bref historique

Cet énoncé hautement scientifique est facultatif et s'adresse uniquement aux érudits avides de connaissances.

Tout a commencé il y a près de 25 000 ans lorsque quelques communicateurs avant-gardistes ont dessiné des chèvres, des mammouths et autres bizarreries de l'époque sur les murs de leurs résidences secondaires que nous appellerons ici : grottes. Déjà en couleurs, l'écran de ce téléviseur était gigantesque. Particularité intéressante : les téléspectateurs devaient se déplacer pour créer l'impression de mouvement. Ce système n'incluait pratiquement aucune publicité. Mais son avantage indéniable était qu'il pouvait fonctionner même pendant les pannes d'électricité.

Certains ont repris le même principe sur un écran beaucoup plus petit et plus pratique. On le met dans un cadre et on l'accroche au mur. Ça fait joli.

Un peu plus tard, un Italien a inventé la télévision sans image appelé : radio. Ce net recul est plutôt décevant, car les téléspectateurs doivent alors deviner les images. C'est ce qui explique qu'aujourd'hui on y retrouve surtout de la musique.

À la fin du XIXe siècle et au début du XXe, un tas de scientifiques ont inventé une foule de trucs qui, séparément, ne servaient pas à grand-chose. Un jour, un opportuniste illuminé a regroupé tous ces trucs et a créé le téléviseur que certains appellent communément : télévision.

La seule réelle menace fut l'avènement du four à micro-ondes. Mais les gens se sont vite lassés de la programmation qui comportait principalement des émissions à connotations culinaires. D'ailleurs, maintenant on s'en sert surtout pour faire cuire des aliments.

Dans l'avenir, on prévoit un engouement tel pour l'appareil télévisuel que la population va rester devant ce dispositif à images pendant de très longues périodes ce qui entraînera une diminution notable de leur musculature : tous leurs membres vont s'atrophier et on verra une croissance exagérée de l'obésité.

À long terme, la télévision provoquera probablement l'extinction de l'espèce humaine. À moins qu'on ne parvienne à interdire l'usage des télécommandes pour permettre à l'*Homo sapiens* de faire un peu d'exercices en se levant pour changer de chaîne.

Hors des ondes

Au bureau du grand patron de la station de télévision CAJT

— Oui, un instant ! J'ai quelqu'un sur l'autre ligne. Oui, allô!... bonjour, mon amour ! Oui, ma chérie ! Bien sûr, mon cœur ! Moi aussi je t'aime, mais je dois raccrocher, j'ai ma femme sur l'autre ligne.

— Excusez-moi, monsieur Gratton. Un jeune homme aimerait vous voir.

— Bonjour, oncle Gratien.

— Ah ! Euh... Théophile ! C'est ça ?

— Oui, bravo, mon oncle ! Vous m'avez reconnu, aujourd'hui.

— Attends un instant !... Allô, Georgia, tu sais, moi, la tapisserie, j'y connais rien. Prends le motif que tu veux... Oui, avec les petits éléphants ce sera parfait, bye ! ... Alors Théo, comment va la famille ? Tu passais dans le coin ? Fais vite, mon oncle Gratien est très occupé.

— Souvenez-vous, mon oncle, je travaille pour vous depuis trois mois.

— Ah, oui ? Et... ça va comme tu veux ?

— Oh oui, mon projet est prêt.

— Projet ! Quel projet ?

— Le projet d'une nouvelle émission dont on s'est ...

— Oui, bon, je suis certain que c'est parfait. Va voir les techniciens, ils vont t'arranger ton beau programme. Quand ça sera fini, tu nous montreras ça au souper de famille du jour de l'An.

C'est ainsi que Théo mit en branle son projet d'émission-pilote que son oncle aurait mieux fait d'examiner et surtout de prendre au sérieux. Ça consiste en une télé-réalité où les figurants sont filmés à leur insu, toute la journée. Les téléspectateurs peuvent ainsi les voir évoluer en direct sans que les protagonistes ne se doutent de quoi que se soit.

Selon les directives du patron, les techniciens de la console du studio D aident Théo sans trop savoir sur quelle galère il les embarque. Et Théo a bien l'intention d'en mettre plein l'écran.

— Il me faut une oreillette, Boris.

— Tu veux quelle maladie, Théo ?

— Pas les oreillons, une o-rei-llette. C'est un machin que l'on met dans l'oreille pour écouter une autre personne à distance.

— Ha, oui, je vois ! J'ai ça quelque part ici. Les gens vont croire que tu as des problèmes d'édition.

— D'audition, Boris, d'audition. Mais, c'est sans importance, il faut que nous gardions le contact le plus discrètement possible.

— Alors, il nous faut un nom de code, comme dans les films de James Bond.

— D'accord. Tu m'appelleras : Zéro-ZéroThéo.

Maintenant que tous les aspects techniques sont réglés, la chouette équipe doit passer à l'action.

— Dis-moi, Boris, de quel budget disposons-nous pour aller sur l'île ?

— Aucun budget !

— Quoi ?

— On a tout mis sur le matériel : micros, caméras, antennes paraboliques, chaloupe. Il ne reste plus rien.

— Mais, c'est impossible ! Comment allons-nous faire pour nous rendre sur l'île ?

— Avec nos cartes de presse, voyons. On dit que nous voulons faire un reportage sur une croisière, on embarque et ça ne coûte pas un sou. C'est comme ça que j'ai passé toute une semaine à Disney-Land, l'année dernière.

*

Vingt-quatre jours plus tard, Théo vogue lentement sur le majestueux *Princesse Cargo*, magnifique bateau de croisière qui fait le tour de la pointe de la Floride. L'île choisie pour l'expérience se situe à l'extrémité de l'archipel près de Key West. Elle est suffisamment isolée pour avoir l'air perdu et assez près pour arriver à transmettre les images depuis les studios de Miami.

Tous les Québécois pourront assister au spectacle, de Blanc-Sablon à Fort Lauderdale.

Afin de désigner les concurrents pour son émission, Théo compte sur l'aide inestimable d'un psychologue expérimenté et d'un médecin particulièrement physionomiste. Ils ont vite repéré un attroupement d'adolescents du cégep *Limoitout* qui correspond parfaitement au schéma de base pour une télé-réalité réussie ; autrement dit, des gens qui ne vont vraiment pas ensemble.

Le groupe comprend :

- une hystérique, Monique
- un opportuniste, Martin
- un travailleur compulsif, Étienne
- une arrogante, Elsa
- et finalement une super jolie fille, Diane.

Habilement, Théo, notre maître d'œuvre, tente de les convaincre de l'accompagner à bord d'une embarcation pour aller rencontrer des dauphins.

Les pauvres, ils acceptent.

Premier épisode
La fuite

Vous avez des pellicules ? Vous évitez de mettre des sandales parce que vous avez des cors aux pieds ? Vos amis vous fuient parce que vous avez mauvaise haleine ? Ou pire, vous n'avez pas d'amis parce que l'ensemble de votre corps est répugnant ? Ne cherchez plus, nous avons la solution !

Moustwick Extra ! Conçu et testé par les plus grands spécialistes de Roumanie, cette crème peut être appliquée sur toute votre personne ou diluée dans une tasse de thé.

Moustwick Extra ! peut venir à bout des pires tourments qui ont gâché votre vie et celle de votre entourage. Cessez d'être ridicule et procurez-vous **Moustwick Extra** ! Un seul jet peut couvrir deux centimètres carrés. Son odeur de cambouis passera inaperçue grâce à l'ajout d'une forte dose d'antisudorifique à la menthe à base de silicone naturel fabriqué dans un laboratoire clandestin renommé.

De plus, **Moustwick Extra !** est idéal pour cirer votre voiture et donner de la vigueur aux poils de votre chien.

Si vous n'êtes pas convaincu, cette semaine, et cette semaine seulement, à l'achat d'une bouteille de dix litres de **Moustwick Extra !** vous recevrez, sans aucun engagement de votre part, un magnifique et inespéré épluche-patates Golden Queen. L'épluche-patates Golden Queen épluche les patates plus vite que votre ombre.

Profitez de cette aubaine exceptionnelle et **Moustwick Extra !** changera votre vie comme il a changé celle de Céline Dion, Jacques Villeneuve et Réginald Théberge.

Moustwick Extra ! est en vente exclusivement à la boutique de machines à coudre « Comment tu files ? »
située au 11, rue Goudron à Coaticook.

Visitez notre site Internet :
www. reginaldtheberge//piotjhwrty.com

— Monsieur Légaré. Il me semble qu'il y a beaucoup de vagues par ici. Il serait plus prudent de faire demi-tour.

— Monique ! Arrête de compter les vagues et relaxe. Théo est un spécialiste dans le … les trucs … de dauphins.

— Martin, tu es aussi psychologue qu'un clou de six pouces, mais je suis d'accord. Monique, fais confiance à notre guide, c'est lui le responsable. S'il nous arrive quelque chose, tu pourras toujours le poursuivre en justice après.

— C'est vrai, Elsa a raison !

— Tais-toi, Étienne, et rame.

Ainsi, cette joyeuse bande de camarades vogue allègrement vers un destin singulier qu'ils sont loin de soupçonner.

Diane n'a pas participé à cet échange intellectuel. Elle scrute l'océan à la recherche des dauphins qu'elle a hâte de rejoindre. Diane Jones est l'aventurière du groupe. Pour elle, il n'y a qu'une façon de prendre la vie : par la route du risque.

— Des dauphins ! Des dauphins ! Droit devant ! s'écrie Diane.

Tout le monde se lance à l'avant de la chaloupe créant ainsi un déséquilibre dangereux. Le guide doit intervenir.

— Du calme, les amis ! Du calme ! Parce que vous allez nous faire chavirer et ce

serait plutôt embêtant puisque ce ne sont pas des dauphins, mais des requins.

— Youpi ! Des requins ! Des requins ! Droit devant ! crie Diane.

Diane n'est pas déçue. Elle adore les requins. Lorsqu'elle a vu le film : *Les dents de la mer*, elle prenait pour le requin. C'est d'ailleurs pour ça qu'elle n'a pas aimé la fin du film.

— Allô-Allô! J'appelle Zéro-ZéroThéo. Attention, éloignez-vous des requins, c'est dangereux et ce n'est pas prévu au programme. Terminé!

— Mais monsieur Légaré, pourquoi vous nous emmenez au milieu des requins ? C'est beaucoup trop risqué, on devrait faire demi-tour !

Monique est là pour pondérer les propos de Diane. Monique est en quelque sorte son opposée ; elle est très prudente, toujours prête à ne rien faire qui soit contraire aux normes de sécurité et surtout à sa routine.

— Relaxe, Monique. On n'a qu'à rester dans la chaloupe et se laisser bercer par les vagues. C'est ça le bonheur.

Martin, lui, est plutôt du type : « Tant qu'il y a de la vie, je m'avachis » et « Pourquoi ne pas essayer de s'énerver calmement ? » Il faut toutefois admettre que ça lui réussit plutôt bien. Elsa intervient.

– Martin est aussi courageux qu'un parcomètre, mais je suis d'accord.

– Tu vois ! Je n'ai rien dit, cette fois, Elsa. Et je continue de ramer.

Elsa demeure la fille rationnelle de la bande. On la voit très rarement sourire. Si elle est là, c'est qu'elle prend les loisirs au sérieux. Elle estime qu'il y a toujours une solution et, dans le cas contraire, qu'il faut en trouver une. Évidemment, elle a la vie facile avec quelqu'un comme Étienne qui est toujours là pour combler ses moindres désirs.

Étienne n'avait pas beaucoup d'estime de soi avant de connaître Elsa ; maintenant, il n'en a plus du tout. Il est si amoureux d'elle qu'il lui arrive d'être ému et séduit par la froideur brutale de cette drôle de compagne.

Près d'une heure plus tard, il n'y a pas plus de dauphins à l'horizon que de chameaux dans un salon (sauf peut-être au Salon du chameau qui se tient chaque année à Khartoum).

– Théo, tes dauphins ressemblent de plus en plus à une espèce disparue, dit Martin, les yeux fermés et étendu dans l'embarcation.

— Peut-être que les requins les ont mangés. On peut faire demi-tour, maintenant ? insiste Monique.

Théo veut se montrer rassurant. Il veut gagner du temps, mais ça devient laborieux.

— Vous savez, un dauphin ce n'est pas comme un train, c'est difficile de savoir à quelle heure il va arriver.

— Bel effort, Théo. Mais j'ai bien peur que ton train soit à l'eau pour l'instant, renchérit Martin.

— Parlant d'eau, il ne reste que deux bouteilles d'eau et une seule de crème solaire.

— J'admire ton sens pratique, Elsa. … Oui, oui, je rame.

Théo se lève et pointe son index au loin en étirant son bras.

— Regardez ! Nous sommes sauvés ! Une île !

— Comment ça, **sauvés** ? Je ne savais pas qu'on était perdus ! s'exclame Diane.

Théo n'a plus envie d'être rassurant. De toute façon, tout le monde finira bien par s'apercevoir qu'il y a quelque chose qui cloche avec cette embarcation.

— C'est que j'ai oublié de vous dire qu'il y a un trou au fond de la chaloupe. Nous sommes donc en train de couler.

— Bah ! C'est juste un p'tit trou de rien, précise Martin.

— Rame à toute vitesse, Étienne, on devrait avoir le temps de se rendre jusqu'à l'île, dit Elsa pour se faire rassurante.

— Vas-y, Étienne, rame ! poursuit Martin.

— Je le savais qu'on aurait dû faire demi-tour ! se plaint Monique.

— Bah ! C'est juste un p'tit trou de rien.

— Du calme, on est presque arrivés ! fait Diane.

— Peut-être, mais la chaloupe se remplit dangereusement, nous allons devoir finir le trajet à la nage, propose Théo.

— Quelqu'un veut pousser ?

— Martin ! Comment fais-tu pour faire des blagues dans un moment pareil, dit nerveusement Monique.

— Bah ! C'est juste un p'tit trou de rien.

— Ça va faire, Martin. On a compris !

C'est par ces propos de franche camaraderie que les six voyageurs terminent leur escapade nautique sur une plage de sable blanc d'une île aussi perdue que déserte. L'embarcation est abandonnée au fond de la baie.

`—Allô-Allô! J'appelle, Zéro-ZéroThéo! Connexion branchée sur la plage depuis onze minutes. Le` son rentre bien et il y a suffisamment de lumière. C’est parti! Terminé!

Le yogourt Tourli Tourlou

Hoyé ! Hoyé ! Hoyou ! Hoyou !
C'est le yogourt Tourli Tourlou
Le yogourt des p'tits bouts'choux
Que les mamans aiment beaucoup !

Swing la cuillère dans l'fond
de la bouche !
Si c'est pas assez, tu prends une louche !
Tourli Tourlou, pour la santé ?
C'est bien meilleur quand c'est sucré !

Tourli Tourlou, pour tous
les goûts
Avec guimauve et caramel mou
Sans oublier une bonne part
de mélasse
Manges-en donc tant qu'il y a
d'la place !

Merci, Tourli Tourlou, merci
pour tout !
J'me sens bien mieux
même un peu fou
À l'école, à la maison et
un peu partout
J'mange mon yogourt
toujours debout.

Le yogourt Tourli Tourlou est en vente dans
toutes les bonnes pharmacies,
chez les détaillants de jeux vidéo
et dans les animaleries !

Deuxième épisode

L'arrivée

On se souvient que, dans le dernier épisode, nos valeureux amis se sont malencontreusement retrouvés sur une île déserte. Vont-ils céder à la panique? Suivons-les dans leur périple.

Le sous-titrage de cette émission est une gracieuseté des céréales « *Alphabet* ».

J'aime mon plancher !

C'est pourquoi j'utilise toujours **MONSIEUR PROPRE** pour le rendre étincelant de propreté. Le chauve à odeur citronnée rend ma cuisine aussi brillante que Madonna.

Oui, Madonna !

MONSIEUR PROPRE est biodégradable au contact de l'eau et il ne laisse aucun résidu, sauf une fine couche de vernis lustré pour permettre aux taches de glisser entre les pattes des chaises jusque dans le corridor.
De plus, obtenez 25% de plus de **MONSIEUR PROPRE** à l'achat des biscuits au citron de **MONSIEUR KRISTY**.

Et ce n'est pas tout !

La prochaine fois que vous irez au cinéma, apportez avec vous une boîte familiale de biscuits **MONSIEUR KRISTY** et une bouteille de **MONSIEUR PROPRE** et profitez d'un rabais de 15 cents lors de votre prochain achat de deux barils format familial de maïs soufflé au citron.

Soyez heureux

dans un cinéma près de chez vous en mangeant du maïs soufflé et des biscuits tout en pensant au lustre de votre plancher de cuisine. Avec tout ça, le film n'a même pas besoin d'être bon.

Maximum de sept bouteilles
par personne, tant qu'il y en aura.

L'île a été choisie avec soin par Théo lui-même. Après de longues recherches sur internet, c'est dans une vieille revue de 1958 du *National Geographic* achetée dans une vente de garage qu'il a trouvé cet endroit parfait pour son projet.

Une île où une bande de délurés, pourra passer suffisamment de temps pour captiver les téléspectateurs. Bien sûr, Théo espère mettre en valeur tous ses nombreux talents télévisuels afin d'épater Gratien Gratton, son oncle de patron.

— Allô-Allô! J'appelle Zéro-ZéroThéo! Positionne les pions devant les caméras. Attention à l'éclairage. Terminé!

— Qu'est-ce qu'on fait maintenant, monsieur Légaré ?

— Monique, tu pourrais commencer par arrêter de m'appeler monsieur Légaré.

— Oh, pardon ! Je croyais que c'était votre nom !

— Oui, c'est mon nom, mais ...

— Allô-Allô! ZéroZéroThéo. Un hélicoptère de CAJT vient prendre des images de votre arrivée. Ne t'inquiète pas, je leur ai dit de faire ça très discrètement. Terminé!

D'un bond et avec entrain, Étienne grimpe sur une roche. Il glisse sur des algues humides et culbute tête première dans un amas de déchets laissés par les vagues. Il se relève, un peu moins vigoureux et pointe le ciel.

— Écoutez ! J'entends le bruit d'un moteur. Regardez ! C'est un hélicoptère. On vient nous chercher !

— Pas déjà !

Diane ne cache pas sa déception. Elle envisageait une expédition en pleine jungle pour découvrir la dernière peuplade encore pure et sauvage de la planète. Peut-être même des aborigènes chasseurs de têtes et, si possible, végétariens.

Elsa est la première à réagir, elle agite les bras avec vigueur. Elle a l'air d'un moulin à vent exalté.

— Faites des signes, des mouvements Il faut qu'ils nous voient. Aidez-les à nous localiser, que diable !

L'hélicoptère passe maintenant juste au-dessus d'eux.

— **CAJT** ! s'exclame Diane.

— C'est l'hélicoptère d'un poste de télé ! continue Martin.

— Ils nous saluent, Elsa. Ils croient que nous sommes des vacanciers, s'étonne Étienne.

— Regardez-moi ces imbéciles ! Ils s'en vont ! Il y en a même un qui nous a filmés. Elsa en reste bouche bée.

Les sinistrés de l'infortune sont estomaqués, abasourdis, stupéfiés. Un sauvetage inespéré se transforme en un moment de vie inexplicable entre la dépression nerveuse et une envie profonde de hurler.

C'est Martin qui parle le premier :

— Au moins, y fait beau.

Il s'installe au pied d'un cocotier en espérant poursuivre ce qu'il avait commencé ce matin avant le départ : une longue sieste.

— Nous sommes perdus ! Nous allons tous sécher ici ! Les crabes vont manger nos cadavres. Si seulement on avait fait demitour !

— Mais oui, Monique. Mais oui. Mais avant de pourrir, on pourrait peut-être s'organiser pour trouver de l'eau douce.

— Bonne idée, Elsa !

— Parfait, de mon côté, je vais chercher des fruits.

— Bonne idée, Diane !

— Moi, je vais m'occuper du S.O.S.

— Bonne idée, Monique !

— Et toi, Étienne, que vas-tu faire ?

— Eh, je vais trouver une bonne idée.

À son grand désarroi, Théo constate que le moral va plutôt bien malgré tout. Il aurait préféré un peu plus de panique et de larmes. Deux ingrédients indispensables pour augmenter la cote d'écoute. Pendant ce temps, dans son grand fauteuil, l'oncle Gratien, toujours président de la chaîne de télé, était plus que sceptique quant au succès de cette émission. Pour le peu qu'il en savait. En fait, il ne se doutait pas que ça irait si loin. Le cigare aux lèvres, il regarde l'émission de son neveu avec anxiété. Théo a intérêt à fournir plus d'action et de dangers pour démontrer qu'il avait raison de réaliser ce projet.

—Allô-Allô! J'appelle Zéro-ZéroThéo. Le grand patron est nerveux. Les commanditaires veulent du sang et des larmes. Fais quelque chose. Terminé!

Loin de se douter que des téléspectateurs les regardent, les naufragés s'organisent. Diane est déjà partie en expédition et Étienne commence à construire une hutte afin d'assurer un minimum de confort à son amie Elsa.

Discrètement, le guide tente de repérer les quelques caméras cachées ici et là qui filmeront en direct ce qui sera le plus vrai des spectacles-vérité jamais vus. Malheureusement, les restrictions budgétaires n'ont pas permis de se procurer autant de caméras qu'il aurait fallu. Théo devra faire preuve d'initiative pour amener les acteurs involontaires à s'animer devant les lentilles avides d'images chocs.

Théo s'estime chanceux de commencer sa carrière à la télévision avec une émission aussi originale et, espère-t-il, spectaculaire. Toutefois, il demeure très anxieux, car il est impossible de savoir comment tout va se dérouler.

Monique va bientôt terminer de fabriquer son immense S.O.S. sur la plage. Son S.O.S. est très joli. Comme il est fait avec des pierres de la même couleur que le sable, ça ne servira probablement à rien, mais ça semble la calmer, alors tout le monde la laisse faire.

– BULLETIN SPÉCIAL – BULLETIN SPÉCIAL – BULLETIN SPÉCIAL -

On apprend à l'instant que l'on vient de lancer un mandat d'arrêt contre l'adjoint du premier ministre, Yvan Daissallad. On ne connaît pas encore les motifs de l'accusation, mais la police tente de le localiser entre Rigaud et Baie-Comeau. Plus de détails lors de notre `prochain bulletin. Ici Émile Mévil, au salon de massage Tonix à Trois-Rivières.`

– BULLETIN SPÉCIAL – BULLETIN SPÉCIAL – BULLETIN SPÉCIAL -

Étienne est très habile. En quelques heures, il a réussi un véritable tour de force afin de fournir un toit à tous ses amis.

– Impressionnant. Il y a même des chambres pour tout le monde, remarque Théo.

– Bravo, Étienne ! J'aurais peut-être choisi une autre couleur que le fuchsia, mais, bon. Ça peut aller, poursuit Martin.

– Incroyable, ça ressemble à un chalet du club Med. Sauf que le chalet du club Med n'a pas de garage.

– C'est vrai, ça, Elsa ! Pourquoi un garage puisqu'on n'a pas de voiture ? souligne Monique.

Perplexe, Étienne regarde son œuvre en se grattant l'occiput.

– Je crois que je me suis laissé un peu emporter.

Pendant que tout le monde emménage dans ce nouveau logis, Théo remarque qu'il règne une atmosphère trop sereine. À part Monique, le groupe s'adapte rapidement à cette nouvelle situation.

Ce n'est pas ce qui était prévu. Notre guide doit vite trouver une façon de changer tout ça pour que les téléspectateurs aient une bonne raison de ne pas changer de chaîne.

Diane ramène plein de fruits et des noix de coco. Elsa a pour sa part quelques poissons qu'elle a pêchés à mains nues. Il faut préciser que lorsque Elsa a faim, rien ne l'arrête ; on n'a pas intérêt à être sur le menu.

Diane a trouvé une source, tout près, qui fournira l'eau douce. Même Martin s'est réveillé et s'occupe de faire du feu. Tout va pour le mieux ; mais, pour l'émission : c'est la catastrophe. Il faut vite provoquer un drame sinon l'intérêt des téléspectateurs va chuter.

C'est à ce moment que ce brave Théo a une idée. Le temps de le dire et, en catimini, il prend un crayon et une feuille de papier et il disparaît discrètement dans la forêt.

Je vous aime !
On ne se connaît pas encore, mais je veux vous savoir heureux et en sécurité. Je suis votre meilleur ami et je ferai tout pour vous le prouver. Aux assurances Scratch on veut qu'il ne vous arrive rien de fâcheux.
Peu importe le désastre,
on fera en sorte que ce n'en soit pas un.
Aux assurances Scratch,
on veut votre bonheur.
Aucun représentant n'ira chez vous.
Vous n'avez qu'à parler à un répondeur pour vous inscrire et à envoyer votre chèque

à une boîte postale.
Payez régulièrement et personne ne viendra vous embêter.

Les assurances Scratch sont là
pour vous protéger.
Si vous ne faites pas affaire avec
les assurances Scratch,
vous êtes en danger.
Comptez sur nous !

Je vous aime et l'amour n'a pas de prix.
Seulement 100 $ par mois ;
certaines conditions s'appliquent.

Téléphonez maintenant, qui sait ce qu'il vous arrivera demain.
518-269-3490

Je serai toujours derrière vous !

— Pas de téléphone, pas de télévision, pas de courriel, pas de parents ni de professeurs. Non mais ça s'peux-tu être heureux de même ? En tout cas, Théo, si tu nous avais fait échouer ici volontairement, tu serais un génie. C'est ça, de vraies vacances ! La *dolce vita.*

Ce bref moment d'élucubration pittoresque n'est rien d'autre que l'opinion de Martin qui tenait à la partager… avant de se recoucher au pied de son cocotier.

Théo n'avait jamais envisagé que cette aventure prendrait une tournure aussi vacancière. Puisque, selon Martin, il est un génie, il espère que son idée va en faire la preuve. Tout est en place, il faut maintenant attendre la suite des événements.

—Allô-Allô! ZéroZéroThéo! Va te coucher pour laisser les participants vivre librement. N'oublie pas les consignes pour le feu. Terminé!

— Il commence à se faire tard, je vais me coucher. Que le dernier à faire comme moi pense à éteindre le feu.

— Pas de problème, Théo ! Dors en paix, déclare Étienne, rassurant.

— Peut-être qu'on devrait l'éteindre tout de suite. Tout à coup qu'on l'oublierait et qu'un incendie détruirait toute la jungle, le chalet et nous aussi, forcément.

— Monique, va te coucher !

Les épreuves de la journée ont vite fait d'avoir raison des jeunes gens qui, rapidement, vont tous dormir. La dernière à se décider est Diane qui contemplait le firmament, complètement perdue dans ses pensées et dans ses rêves d'exploratrice avide de dangers. Sous le ciel étoilé, elle sourit et remercie le destin de lui permettre de satisfaire ses instincts d'aventurière téméraire.

En passant près de Martin, sous son cocotier, elle le réveille pour qu'il puisse aller dormir.

ÉMISSION SPÉCIALE

Comme les personnages de cette émission se sont couchés plus tôt que prévu, nous vous présentons en reprise la compétition de curling nord-américain de 1963 jusqu'à la fin de la période annoncée à l'horaire, soit : 2 heures du matin.

— Bonjour mesdames et messieurs ! Il me fait plaisir d'animer cette émission où l'action et la fébrilité sont à l'honneur.

— En effet, Maurice, les fiers compétiteurs ne manquent pas, ici.

— On commence immédiatement avec un gros match, Lucien. Le Yukon contre L'Uruguay.

— Oooh que oui !

— Miguel Gonzales nettoie sa pierre avec attention. Il se prépare à lancer, il se concentre...

— Exactement, Maurice.

— Il me semble qu'il faut prononcer « Migouel » et non Miguel ?

— On peut prononcer seulement Gonzales, aussi.

— Toujours le mot juste, mon Lucien. Alors, il va bientôt lancer sa pierre. Il a un bon mouvement, Gonzales.

– Oui, je crois qu'on peut dire qu'il est allé à la bonne école, car il a le coude à une hauteur on ne peut plus respectable.

– Précisément. ... Alors, c'est fait ! **Voilà, c'est le premier lancer ! La pierre est partie. Les balayeurs se mettent à la tâche. Quel enthousiasme ! Que d'énergie déployée. C'est fantastique !**

– C'est captivant, Maurice ! J'ai peine à rester sur ma chaise.

Pour des raisons économiques, l'éditeur est obligé de limiter la description de cette joute qui équivaut à un peu plus de quatre heures de dialogues. Il vous prie de bien vouloir l'excuser de cet inconvénient. L'auteur, par contre, tient à dénoncer cette injustice.

Fin de la programmation Fin de la programmation Fin de la programmation Fin de la programmation

Troisième épisode

Une surprenante découverte

On se souviendra que nos courageux amis, après avoir échoué sur une île déserte à la suite d'un malencontreux incident maritime, tentent de s'organiser tant bien que mal malgré le malheur qui les frappe. Vont-ils céder à la panique? Suivons-les dans leurs aventures.

Si doux qu'on voudrait recommencer.
Le papier de toilette Angora *est d'une douceur à faire rougir la concurrence.*
Ayez toujours le papier de toilette Angora *à portée de la main.*
Emmenez-le avec vous en voyage, au bureau et dans vos loisirs.
Partagez votre plaisir avec vos amis et donnez le papier de toilette Angora *en cadeau.*
Profitez de ces moments de véritable bonheur grâce à la douceur du papier de toilette Angora*, texturé, quadruple épaisseur et enroulé à la main.*
Pour quelques sous de plus, procurez-vous le papier de toilette Angora *avec motifs pour mettre plus de gaieté dans votre salle de bains.*
Choisissez entre la fleur d'épinette, les petits éléphants ou Britney Spears.
Le papier de toilette Angora*, pour protéger vos arrières.*

En vente dans les boutiques de produits végétariens.

Chez Gros et Matinot, on coupe les prix sur tous les appareils électroménagers. Les laveuses et sécheuses blanches sont à 699,99 $, si elles sont blanc cassé, 659,99 $. Les fours micro-ondes sont à 399,99 $ et retrouvez gratuitement à l'intérieur : un grille-pain-réveil-radio-AM-FM-lecteur-DC-stéréo d'une valeur de 19,99 $. Lave-vaisselle à 799,99 $, et retrouvez gratuitement à l'intérieur de la vaisselle sale (8 couverts).

Gros et Matinot vous offre aussi un magnifique ensemble de salon comprenant : divan-lit, causeuse, deux fauteuils, une grande table basse, une petite table haute, une lampe sur pied, une lampe pas de pied et un cendrier pour non-fumeur. Le tout pour seulement 2 999,99 $.

Venez profiter du nouveau modèle de télévision avec écran de 2,7 mètres à seulement 11 999,99 $, en exclusivité chez **Gros et Matinot**.

Achetez tout ce qui est énuméré dans cette publicité et recevez « gratissement » un magnétoscope Beta, une véritable pièce de collection.

Et n'oubliez pas que les prix indiqués sont facultatifs, ne les regardez même pas ; car vous n'avez pas à payer avant un an.

Gros et Matinot,
là où les bas sont prix !

Théo est le premier à se lever. Il a quelques tâches à exécuter et ça demande un peu de préparation. Il consulte l'*Almanach du peuple* pendant une bonne dizaine de minutes et il va s'installer bien en vue devant une caméra et un micro dissimulés en haut d'un cocotier.

Il se prépare pour l'édition matinale de son émission.

— Debout tout l'monde ! Le soleil est levé ! Il faut profiter du beau temps, ce matin.

— Quoi ? Qu'est-ce qui se passe, Elsa ?

— Je ne sais pas, Étienne. C'est le guide qui hurle dehors.

Théo continue de plus belle en y mettant tout le professionnalisme dont il est capable.

— Allez ! Allez ! Un petit effort ! Pour l'instant il fait environ 18 degrés. On devrait atteindre un maximum de 27 degrés aujourd'hui.

— Mais, qu'est-ce qui lui prend à Théo ? demande Diane.

— **On veut dormir !** ajoute Martin.

— Hem ! Aujourd'hui, 8 mai, c'est l'anniversaire de la fin de la Seconde Guerre mondiale, de la révolte de Sétif en Algérie, de la mort du coureur automobile Gilles Villeneuve, l'anniversaire d'un formidable auteur pour la jeunesse, Daniel Lav…

C'est à ce moment qu'une sandale sortie par une fenêtre intercepte le crâne ébouriffé de Théo. Ce qui a pour effet de le déconcentrer quelque peu et, surtout, d'interrompre les nouvelles du matin.

— La ferme, Théo ! On est en vacances ! insiste Martin.

Théo veut meubler l'émission. Le problème, avec ce naufrage, c'est qu'il semble que seul le guide, le héros de l'histoire, soit au bord de la panique. Tout le monde sait qu'il faut du drame pour faire une bonne émission, les gens heureux n'intéressent personne.

Évidemment, Diane est très matinale. Elle est déjà prête à repartir en expédition.

— Salut Théo ! Déjà levé ?

— Mais, oui, Diane. Je suis toujours prêt à me lancer dans une nouvelle aventure !

— Une aventure ? Ici ? J'aimerais bien, mais ça me semble plutôt calme pour affronter des périls.

— Oh ! Je crois que nous allons avoir une journée pleine de rebondissements !

— Ah bon ! Pourquoi tu me dis tout ça en regardant ce cocotier ? En quel honneur as-tu ce sourire bébête comme si tu allais dévoiler les numéros gagnants de la loterie ?

— Mais pas du tout ! Je ne les connais pas, moi, les numéros gagnants.

Très habile pour avoir l'air de rien, Théo entre dans la forêt avec Diane, bientôt suivi d'Elsa et, bien sûr, d'Étienne. Le pauvre guide Théo tente par tous les moyens de les faire marcher vers les trop peu nombreuses caméras cachées ici et là.

— Venez par ici, les amis ! Venez voir comme c'est joli.

Les trois marcheurs s'empressent de regarder ce qui a émerveillé Théo.

— Où, Théo ? Qu'est-ce qui est si joli ? questionne Elsa.

— Ben, … ça !

— Quoi, ça ? Je ne vois rien !

— C'est vrai, Théo, je suis comme Elsa, je ne vois rien de particulièrement beau, ici.

— Mais, oui, il y a … tout ça ! Heu ! … Les … Le … Ben quoi ! C'est une bien jolie île, vous ne trouvez pas ?

En regardant à l'intérieur d'un arbre creux, Diane découvre quelque chose de surprenant, d'intrigant et d'inattendu.

— Hé ! Regardez ! J'ai trouvé quelque chose de surprenant, d'intrigant et d'inattendu !

— Allô-Allô! J'appelle Zéro-ZéroThéo! Ramène tout le monde sur la plage, il n'y a pas assez de lumière, ici. Terminé!

– BULLETIN SPÉCIAL – BULLETIN SPÉCIAL – BULLETIN SPÉCIAL -

Nous devons interrompre la programmation en cours pour vous informer d'un revirement soudain concernant l'adjoint du premier ministre, Yvan Daissallad. Alors que la police tentait de le localiser entre Rigaud et Baie-Comeau, on vient d'apprendre que Yvan Daissallad est chez lui, dans son salon. C'est lui-même qui l'a confirmé en appelant la police après avoir vu notre dernier bulletin à la télé. Plus de détails lors de notre prochain bulletin.

Ici Émile Mévil, à la cantine Proulx, à Rimouski-Est.

– BULLETIN SPÉCIAL – BULLETIN SPÉCIAL – BULLETIN SPÉCIAL -

De retour au bungalow, toute l'équipe s'affaire à étudier cette découverte surprenante, intrigante et inattendue. Diane est fière de montrer sa trouvaille.

— Regardez ce qu'on a trouvé !

— Yahouu ! Une bouteille de plastique !

— Mais non, Martin ! Regarde **dans** la bouteille, insiste Diane.

— Yahouu ! Une feuille de papier ! déclare Martin, peu impressionné.

— Exact ! Mais, pas n'importe qu'elle feuille, Martinouille. **C'est une carte !**

— Yahouu ! Je retourne me coucher, conclut Martin pas du tout intéressé.

Diane étend la carte sur une table en bois d'ébène qu'Étienne vient tout juste de fabriquer. Chacun examine le dessin en tentant de repérer un élément connu sur lequel ils pourront se référer pour commencer ce qui semble être une chasse au trésor.

— Regardez ! Il y a un X. C'est sûrement un endroit interdit !

— Non, Monique, ce X désigne l'emplacement où le trésor est caché.

— Oui, mais, s'ils l'ont caché, c'est qu'il doit y avoir une raison. Je suis certaine que c'est dangereux, cette histoire.

— C'est pour ça que c'est si palpitant. S'il n'y avait pas de risques, où serait l'intérêt.

— Bien parlé, Elsa.

— Étienne, t'as pas un frigidaire à sculpter quelque part ?

— Je l'ai fini ce matin, ma douce.

Aux pharmacies GENS MOULUS, on vend de tout, même un mari.

Ouvert 20 heures sur 24, nos deux employés sont toujours prêts à vous servir.

Que se soit des billets de loteries, du jus de pomme artificiel, des bonbons à saveur de plastique, des chips au vinaigre ou encore des ragoûts de bœuf en conserve en passant par la mayonnaise périmée.

Aux pharmacies GENS MOULUS, on vend de tout.

Et si ça vous rend malade, c'est pas grave !

Aux pharmacies GENS MOULUS, on vend aussi des médicaments.

Il y a toujours un GENS MOULUS près de chez vous, sinon déménagez.

Quatrième épisode

Catastrophe !

Après avoir trouvé ce qui semble être une carte de chasse au trésor, nos audacieux amis tentent de s'organiser tant bien que mal malgré le malheur qui les frappe. Vont-ils céder à la panique? Suivons leur escapade.

Réjouissez-vous !

Vous pouvez maintenant vivre le plus
beau moment de votre vie grâce à
Xtaze,
le shampoing vitaminé enrichi
de bénotazoène.

La prochaine fois que
vous laverez vos che-
veux, vous sentirez
toute la magnificence
de votre cuir chevelu.
Xtaze vous procurera
des moments inoubliables,
un plaisir inavouable
et un enchantement capillaire.

Choisissez nos différents
parfums naturels :
forêt du sahara, écailles de koala
et sueur olympique.
Xtaze ne tardera pas à vous conquérir.

Vous voulez Xtaze
et Xtaze vous veut !

Théo est fier. Il ne se doutait pas que cette fausse carte allait avoir un tel succès. Il a pris soin de tracer le trajet pour se rendre au trésor en passant près des quelques endroits où se trouvent les caméras. C'est génial. Son oncle va être content de lui. Théo affiche un sourire victorieux. Soudain, il entend ce message de Boris au sujet de la caméra qui filme la scène.

— Catastrophe! De la fumée! Allô-Allô! J'appelle ZéroZéro-Théo! Attention, attention! Fais semblant de rien et déplace tout le monde! Il y a de la fumée devant la caméra! Terminé!!!

Il ne faut pas que quelqu'un voie cette fumée et il faut réparer la défectuosité : cette caméra est capitale. Mais surtout, il doit maintenant repositionner tout le monde vers une autre caméra près du rivage.

— On ne voit rien ici, c'est trop sombre !

— Qu'est-ce que tu racontes, Théo ? Nous sommes en plein soleil, fait remarquer Elsa.

— Venez sur le littoral, j'y verrai mieux.

— Mais on est très bien ici, qu'est-ce que tu lui veux à ton littoral, Théo ?

— Déposez la carte sur cette pierre plate, se sera parfait !

Le guide Théo se fait si convaincant qu'il réussit à déplacer le groupe juste devant la caméra de la plage. Quelques gouttes de sueur coulent le long de ses tempes. Il est nerveux et tendu : ce n'est pas au moment où la situation semble être en bonne voie de réussite qu'il va laisser un détail technique insignifiant faire tout rater.

Heureusement, Elsa et Diane communiquent leur exaltation et leur enthousiasme au reste de l'équipe. Personne ne remarque la caméra fumante ni Théo et son anxiété.

— Il faut commencer par repérer le point le plus évident, suggère Diane.

— Ici, regardez ! La montagne en forme de crâne dégueulasse, fait remarquer faussement Théo.

— C'est pas très rassurant, vous ne trouvez pas ?

— Monique, va t'asseoir là-bas et compte les mouettes, conseille Elsa.

Étienne, toujours dévoué, tente de les aider.

— Il y a un ruisseau au pied de la montagne. Trouvons le ruisseau et suivons-le jusqu'au crâne.

Martin, qui s'est montré discret jusqu'à maintenant, décide de s'en mêler.

— Justement, lors de ma dernière sieste, je me suis assoupi au son d'un ruisseau. Il est là, derrière le gros palétuvier.

— Parfait ! On part à l'assaut de la montagne, s'écrie Diane.

— Ciel ! que c'est excitant, ajoute Elsa.

— J'ai un mauvais pressentiment, marmonne Monique.

— Regarde, Monique, il y a une autre mouette, juste là.

Toute la joyeuse bande avance d'un pas conquérant vers une folle escapade qui promet d'aller chercher encore plus de téléspectateurs. Comme c'est Théo qui a fait le plan, il n'y a pas de trésor ; ainsi l'aventure va durer longtemps et qui sait ce qu'il peut arriver. Des escarmouches sont au programme.

— Tu ne viens pas avec nous, Théo ? demande Diane.

— Non, je vais rester là pour trouver de la nourriture et préparer le dîner.

Théo leur sert ce prétexte pour tenter de réparer la caméra défectueuse, en espérant que ce ne soit pas trop long, afin d'avoir le temps d'apprêter réellement le repas promis. Soyons pragmatique et efficace : premièrement, avec l'aide de Boris, identifier le problème. Deuxièmement : trouver le matériel nécessaire à la réparation. Tertio : réparer le fichu problème et, finalement, faire le dîner.

Diane a vite fait de découvrir le ruisseau. Aussitôt, toute la ribambelle suit le cours d'eau à contre-courant vers le sommet du crâne. Ils sont si déterminés que ni les obstacles ni les embûches ne sauraient leur tenir tête. Même Monique avance avec l'énergie du désespoir. Il est vrai qu'elle est une spécialiste du désespoir.

Les quelques caméras tentent de capter tous les faits et gestes des participants involontaires de ce feuilleton ; toutefois, les exploits se limitent surtout à éviter de marcher dans l'eau et à tuer les moustiques qui s'acharnent sur le cou, les bras et les jambes des participants.

— Dites, est-ce qu'on va bientôt arriver sur ce crâne ? J'ai l'impression qu'on se paie ma tête, rouspète Martin.

Étienne ajoute :

— C'est la faute du ruisseau, il n'arrête pas de zigzaguer.

Les voyageurs mettent leur patience et leur endurance à rude épreuve. Mais ils n'abandonnent pas. Diane et Elsa sont les meneuses, loin devant. Depuis le début, les filles dirigent les opérations, plus déterminées que jamais.

— Le ruisseau n'est plus qu'une source à peine humidifiée. Y'a pas de quoi s'endormir là-dessus.

— Mais tu ne penses qu'à ça, Martin.

— Je suis un dormeur et je m'assume.

— En attendant, réveillez-vous, déclare Elsa. On va commencer à vraiment grimper.

— De l'escalade, maintenant, c'est encore mieux qu'au club Med.

— Bravo, Diane, pour ton moral. Toutefois, je suggère de prendre la pente douce en avant du crâne. C'est peut-être un peu plus long, mais beaucoup plus facile.

L'expédition s'organise devant la caméra placée en plongée sur un pic qui surplombe une bonne partie de la petite vallée. Le technicien en studio n'a qu'à faire quelques ajustements pour arriver à faire les gros plans nécessaires.

C'est désormais le moment le plus palpitant de cette expédition. Il y a de l'action, des dangers et une très belle vue.

– BULLETIN SPÉCIAL – BULLETIN SPÉCIAL – BULLETIN SPÉCIAL -

Nous devons interrompre la programmation en cours pour vous informer d'une évolution soudaine de la situation concernant l'adjoint du premier ministre, Yvan Daissallad. Alors qu'il se dirigeait dans sa voiture personnelle vers le poste de police le plus proche, il aurait manqué la sortie de l'autoroute et se serait probablement perdu. Le suspense se poursuit. Plus de détails lors de notre prochain bulletin.

Ici Émile Mévil, à la tabagie Agathe de Amos.

– BULLETIN SPÉCIAL – BULLETIN SPÉCIAL – BULLETIN SPÉCIAL -

Diane est la première arrivée au sommet. Suivie de près par Elsa qui est ellemême suivie d'Étienne qui est suivi de Monique qui est suivie d'une moufette. Martin, pas très loin derrière, est le seul à l'avoir vue et il la trouve plutôt mignonne… pour une moufette.

— Vite, Elsa. Donne-moi la carte. On a une vue imprenable sur une bonne partie de l'île, ici.

La moufette continue sa route vers une autre direction et dans une totale indifférence. Martin est le dernier à atteindre le crâne, mais le premier à voir l'escalope.

— Regardez ! L'escalope ! C'est là, droit devant ... Un peu à gauche, quand même.

— L'escalope ? Tu vois une escalope ? Et qu'est-ce que tu veux qu'on fasse de ton escalope ?

— Mais oui, Elsa. C'est sur le plan ! Ça ressemble à une escalope de porc avec des brocolis. Le trésor est juste à côté.

Tout le monde s'empresse d'examiner la carte pour effectivement constater la présence de l'escalope.

— C'est plus facile que je ne l'aurais cru.

— C'est parce que tu es la meilleure, Elsa.

— Je sais, Étienne.

— Mais ça m'apparaît tellement facile. C'est peut-être un piège, non ?

— Monique, Monique, Monique... tu ne vas quand même pas nous dire que tu as peur d'une escalope !

*

Pendant ce temps, Théo a eu de sérieux problèmes avec sa caméra endommagée. Il a dû raccourcir des fils usés puis les relier, les fixer et les isoler de l'eau avec de la gomme à mâcher et quelques produits locaux. Il a ensuite replacé la caméra dans sa noix de coco et s'est vite mis à la recherche de nourriture afin de préparer le repas.

*

— Donc, la façon la plus simple d'aller derrière les brocolis serait de longer la falaise jusqu'au pic rocheux que l'on voit là-bas, pour ensuite passer par la forêt …

— Pas la forêt, la jungle !

— Bon, d'accord Diane, la jungle. Ensuite, on traverse l'escalope et on arrive aux brocolis, déclare Elsa.

— Il me semble que certains éléments importants de l'île ne se retrouvent pas sur la carte.

— C'est vrai, Étienne ! Ça manque de patates pilées, répond Martin.

— Regardez, il y a une immense chaîne de montagnes avec deux ou trois volcans, là-bas, mais rien n'est indiqué sur la carte.

— Écoute, Étienne, tu t'attardes trop aux détails. C'est peut-être juste pour nous mêler.

— On s'en fout de la carte, ce qui compte, c'est le trésor, souligne Elsa.

— Je pense à quelque chose tout à coup.

— Ne pense pas trop, Martin, ça va te fatiguer.

— Oui, je vais faire vite. Comment se fait-il que des pirates aient caché une carte dans une bouteille de plastique ?

— Hé ! Réveille, Martin ! Ce sont des pirates modernes qui ont caché ce trésor. Arrête de rêver, on n'est pas à la télé ici, c'est la réalité, répond Elsa.

Monique, qui essaie de ne pas jouer les trouble-fête, ne peut plus se contenir.

— Je sais que je me répète, mais j'ai quelques inquiétudes.

— Bon, quoi encore ?

— J'ai peur des pirates.

— Dis-moi, Monique, est-ce que tu as déjà rencontré des pirates ? questionne Elsa.

— Oh non, jamais !

— Alors, comment peux-tu avoir peur de quelqu'un que tu ne connais même pas !

— Tu marques un point, Elsa. C'est logique.

— Étienne, va donc finir de fabriquer le bain tourbillon.

— Bonne idée, ma douce.

La route sera longue jusqu'au trésor : les compères décident de retourner au campement et d'attendre au lendemain pour débusquer le magot.

— Comment on va faire pour revenir, maintenant ?

— Tu vois, Monique, il y a plusieurs possibilités. Certains te diraient de simplement descendre la montagne jusqu'à la plage. D'autres te suggéreraient bien de suivre le ruisseau dans le sens inverse de celui qu'on a pris pour venir jusqu'ici ; toutefois, ça, c'est déjà un peu plus compliqué. Mais, tu vois Monique, je vais être beaucoup plus pragmatique : suis-nous et tais-toi !

— Oh... Merci, Martin.

Ainsi, tels les sept nains retournant à leur cabane en chantant et en sifflotant, nos amis se réjouissent de leur bien-être inopiné. Sauf qu'ils sont cinq et non sept ... et qu'ils ne sont pas nains ... et Théo n'est pas vraiment Blanche-Neige.

« « « CORRRIDOR » » »

— Jim ! Qu'est-ce qui s'passe ? Dis-moi quelque chose !

— Continue sans moi, Jack. Sauve ta peau.

— Non, Jim ! N'abandonne pas ! Pas maintenant !

Tom Crouze dans son meilleur rôle.
« « « CORRRIDOR » » »

— Jack ! J'ai été content de t'avoir pour ami.

— Jim, ne dis pas ça. Je ne te laisserai pas mourir.

— Si seulement je savais ce qui s'est passé.

— Ne pense pas à ça, Jim. Accroche-toi, résiste. Les secours vont arriver.

Mise en scène de Steven Spielburk.
« « « CORRRIDOR » » »

— Jack ! Il faut que je te dise quelque chose.

— Ce n'est pas le moment des secrets, Jim. Tu vas t'en sortir.

— C'est important, Jack.

— Économise ton énergie, Jim !

— Jack, tu te souviens de ton grand cabanon à tondeuse ?

— Mon cabanon ? Tu délires, Jim. Repose-toi.

— Ta femme et moi, Jack, ... dans le cabanon ...

— QUOI ! Pas avec ma tondeuse !

Les drames de la vie dans une urgence d'hôpital.
Si vous avez le cœur solide !
« « « CORRRIDOR » » »

Bientôt de passage dans un cinéma près de chez vous !

Cinquième épisode
Bisbille à l'horizon

Vie-Triol

Pour obtenir des dents d'une blancheur
immaculée,
utilisez le dentifrice **Vie-Triol**.
Également employé pour décaper
les meubles,
Vie-Triol vous blanchit la dentition
le temps d'un sourire.
Pour les mordus de la pureté buccale,
Vie-Triol est l'abrasif oral
que vous attendiez.
Si vous avez une dent
contre le sourire timide et réservé,
Vie-Triol fournit les armes
d'une allégresse éblouissante
qui éclaboussera votre ancienne
personnalité.
À base de substances dérivées
du pétrole et autres produits naturels,
Vie-Triol varlope les dents
avec énergie sans laisser d'arrière-goût.
(Éviter d'avaler)
Vie-Triol est la solution
pour vous sentir enfin libre
et soulagé de la grisaille quotidienne,
vous avez fini de rire jaune.

Si vous n'avez qu'une vie à vivre,
vivez-la grâce à **VIE-TRIOL**.

En vente partout où la loi le permet.
La TPS et la TVQ s'appliquent.

J'adore mon notaire.

Grâce à lui, je sais où je vais.
Il s'occupe de tout
et il prend soin de mes intérêts.
Je peux dormir tranquille, car mon notaire
veille sur moi. Il gère mes finances
et voit à mon bien-être.
Dès que je suis entrée dans le bureau
de mon notaire,
j'ai su tout de suite que je pouvais lui
faire confiance. Avant, je n'étais
qu'une faible femme,
maintenant, je n'ai peur de rien
et je fonce dans la vie parce que mon
notaire est là.
J'adore mon notaire !
Ayez, vous aussi, un notaire à la maison.

Cette publicité a été retenue et payée par
l'Association en faveur du mariage
des notaires.

Après un après-midi affairé et un léger souper, tout le monde se retrouve autour du feu à discuter du trésor. Théo jubile intérieurement. Son plan fonctionne si bien qu'il se demande comment il a pu l'imaginer. La cote d'écoute de l'émission doit être à son sommet.

— On n'a pas de pelle ! Comment creuser un trou sans pelle ?

— Ne t'en fais pas, Elsa. On se débrouillera avec des bouts de bois ou tout ce qu'on pourra trouver sur place, on verra, répond Martin. Étienne pourrait peut-être nous bricoler une pelle mécanique pour demain matin.

— Il y a un autre détail qu'il faut régler, c'est la façon de partager toute cette fortune, fait remarquer Elsa.

— Comment sais-tu qu'il y a une fortune ?

— Voyons, Monique ! Parce qu'on se donnerait pas la peine de cacher un trésor si ce trésor n'était qu'une paire de bobettes trouées. C'est forcément précieux.

— Pourquoi on ne partagerait pas le tout en parts égales ? propose Diane.

— Parce que, visiblement, ce n'est pas tout le monde qui participe équitablement à cette recherche, réplique Elsa, suspicieuse.

— **Quoi ?**

Dès qu'il y a de l'argent en cause, la bisbille commence.

— `Allô-Allô! J' appelle ZéroZéroThéo. J' ai de petits problèmes avec les gros plans. Il faudrait que les engueulades se passent un peu plus vers la droite pour faciliter mon travail. Terminé!`

Théo réagit rapidement. Il ne craint pas les chicanes, au contraire c'est ce qu'il souhaitait, mais pour satisfaire Boris, il doit intervenir. Il feint de tempérer la situation afin de les déplacer.

— Voyons, les amis, gardons notre calme.

Tout en les séparant, il les positionne juste devant la caméra principale. Curieusement, la manœuvre apaise les belligérants. Théo doit faire quelque chose pour envenimer la discussion.

— Vous savez, c'est normal que certaines personnes en fassent plus et que d'autres en profitent. C'est la nature humaine qui veut ça.

— Ça, c'est bien vrai, Théo ! s'exclame Elsa.

— Ah, oui ! Comme qui, par exemple ?

Diane dévisage Elsa. Cette dernière ne la visait pas le moins du monde lorsqu'elle a fait son commentaire.

– Du calme, Diane ! Je pense plutôt à…

Martin n'aime pas la tournure des événements. Il a peur d'être le premier sur la liste des flancs-mous.

– Attention ! Nous ne sommes pas ici pour nous battre et encore moins pour savoir qui est le plus méritant. Faut d'abord trouver ce supposé trésor et on verra après. Voyons ça comme un jeu.

– Moi, j'aime bien la proposition de Martin. Jouons au lieu de nous bagarrer. C'est plus sécuritaire ainsi.

– Je te reconnais bien là, Monique, mais je crois que tu as raison, conclut Elsa.

Au grand désespoir de Théo, tout le monde est rapidement tombé d'accord. Il n'y aura pas de massacre devant la caméra. Pourtant, le psychologue avait choisi chacun des figurants selon des critères très précis. Monique fait de gros efforts, mais elle n'est pas encore parvenue à tomber sur les nerfs de tout le monde. Étienne est encore loin de l'épuisement prévu par le médecin du comité de sélection. En fait, ce médecin est plutôt vétérinaire, mais, bon enfin, on ne fera pas de chichi pour si peu.

Martin était censé mettre en furie Elsa qui devait rabrouer allègrement Diane qui ne devait s'entendre avec personne. Il y a longtemps qu'ils auraient dû s'entre-déchirer pour satisfaire le public assoiffé de sensations extrêmes. Mais ça ne se passe pas du tout comme prévu. Théo craint pour la cote d'écoute de son émission et, du coup, pour sa carrière télévisuelle.

On décide de prendre une bonne nuit de repos avant une journée qui promet d'être riche en émotions de toutes sortes. Seule Diane, fidèle à elle-même, ne suit pas le groupe. La nuit est chaude et, malgré le fait qu'il n'est que dix heures du soir, elle décide d'aller prendre un bain de minuit.

En studio, on devient fébrile. On veut tout faire pour prendre des gros plans, il faut profiter de l'éclairage de la pleine lune. Il ne faut rien manquer : les scènes de nudité sont les plus payantes à la télévision. On sent un affolement en studio, il faut faire vite... Trop tard, Diane est déjà dans l'eau lorsque les techniciens sont prêts. On devra attendre sa sortie de l'eau pour aller chercher un maximum de téléspectateurs.

Pendant ce temps, deux yeux sont braqués sur Diane. Des yeux qui scrutent chacun de ses mouvements à l'affût d'un geste ou d'une forme qui pourrait surprendre. Camouflée dans les broussailles, c'est Monique qui ne regarde pas Diane ; elle surveille plutôt la visite possible de requins ou de tout autre danger venu de l'océan.

Ça y est ! La baignade est terminée. La nageuse revient vers la plage. Diane va bientôt sortir de l'eau. Des milliers de téléspectateurs sont assis sur le bout de leur fauteuil. La cote d'écoute n'a jamais été aussi élevée. Le technicien fait un gros plan, encore une vague et ... la population retient son souffle, un sentiment excitant à la limite du supportable tient tout un peuple en haleine.

Non, ce n'est pas vrai. Deux gros yeux de lémurien apparaissent devant la seule caméra du secteur. L'image bouge, l'animal secoue l'appareil et l'emporte avec lui. On voit des feuilles d'arbres, un coin de lune, encore des branches, un peu de la fourrure du lémurien, encore d'autres feuilles et, au bout de quelques minutes, tout s'arrête.

Soudain, plein de bébés lémuriens apparaissent et manipulent la caméra. Ils sont curieux, ils .... G oop p dp ^^

—Allô-Allô! jhl.éuu

O

Oè ^^

Rglhpà

Jku ; ^ ç ç

…j' appelle …..

Ohp ^k^pl

^p çpkm
M

Vhk j

^lk ^^k^pçç
ç

Allô-Allô-Alllllô!

in
n,

çlçç ç .

opm n ;po^p

lç

Difficultés techniques

Pour des raisons hors de notre contrôle nous devons interrompre la diffusion de cette émission. Nous vous prions de bien vouloir nous excuser. Ne quittez pas. Voici en reprise le premier épisode jusqu'à ce que la situation soit rétablie.

Premier épisode
La fuite

Le guide Théophile Légaré, parfois appelé le guide Thé-Lé, a proposé à quelques étudiants d'aller se baigner avec des dauphins. Grâce à une minuscule caméra camouflée dans la casquette du guide et accompagnée d'un micro ultra sensible, nous suivons la scène.

– Monsieur Légaré. Il me semble qu'il y a beaucoup de vagues par ici. Il serait plus prudent de faire demi-tour.

– Monique ! Arrête de compter les

vagues et relaxe. Théo est un spécialiste dans le … les trucs … de dauphins.

— Martin, tu es aussi psychologue qu'un clou de six pouces, mais je suis d'accord. Monique, fais confiance à notre guide, c'est lui le responsable. S'il nous arrive quelque chose, tu pourras toujours le poursuivre en justice après.

— C'est vrai, Elsa a raison !

— Tais-toi, Étienne, et rame.

Ainsi, cette joyeuse bande de camarades vogue allègrement vers un destin singulier qu'ils sont loin de soupçonner.

Diane n'a pas participé à cet échange intellectuel. Elle scrute l'océan à la recherche des dauphins qu'elle a hâte de rejoindre. Diane Jones est l'aventurière du groupe. Pour elle, il n'y a qu'une façon de prendre la vie : par la route du risque.

— Des dauphins ! Des dauphins ! Droit devant ! s'écrie Diane.

Tout le monde se lance à l'avant de la chaloupe créant ainsi un déséquilibre dangereux. Le guide doit intervenir.

— Du calme, les amis ! Du calme !

Fin de la programmation Fin de la programmation Fin de la programmation Fin de la programmation

Sixième épisode

La chasse est ouverte

Juste avant la malencontreuse panne causée par des animaux dangereux, on se souviendra que nos intrépides amis s'étaient couchés de bonne heure, encore une fois, en vue d'entreprendre une chasse au trésor qui promet d'être tumultueuse. Vont-ils céder à la panique? Suivons-les dans leurs pérégrinations.

Le veau qu'a bu l'air.
Tout vient aux poings à qui sait les tendre.
Un rien vaut mieux que peu dû aux rats.
Rien ne sert de pourrir, il faut sentir de loin.
L'apathie vient en marchant.
Faut pas mettre la morue avant les nœuds.
Une voie n'est pas bitume.
Deux bêtes avalent deux prunes.
Faut pas rendre l'anneau de course
avant d'avoir sué.
Après l'ennui vient le beau grand.
C'est en posant des corniches qu'on
devient cornichon.

Loto-Québec vous rappelle que si vous ne
pouvez vous empêcher de jouer avec les
mots, comptez sur votre entourage
pour que ça cesse.
18 ANS ET PLUS SEULEMENT

Ta cuisse flotte dans tes pantalons.
Tes genoux frottent sur le vieux coton.
Il est temps pour toi de vivre le vrai
confort d'un pantalon
qui fait peau avec toi.
LIVAILLZ se colle à toi comme un habit
d'homme-grenouille...
sans les bulles.
Ton jeans te suivra pas à pas
et se moulera à tout
ce qui te fait envie.
LIVAILLZ pour une démarche
qui se démarque.
LIVAILLZ pour des jambes
qui s'allongent jusqu'aux talons.
Qui sait jusqu'où tu pourras aller
avec LIVAILLZ ?
Pour une mode culottée,
un seul choix s'offre à toi
comme une fleur s'offre au papillon.
Suis ton instinct et LIVAILLZ te guidera
sur toutes les coutures.
Laisse-toi porter par les jeans LIVAILLZ.

Théo n'a pas beaucoup dormi la nuit dernière. Avant de se coucher, pendant qu'il était près d'un arbre pour libérer sa vessie, il avait vu le chapardeur de lémurien s'enfuir avec la caméra. Il a bien tenté de le poursuivre, mais c'est rapide et agile ces petites bêtes-là ! Théo a dû aller loin dans l'île pour récupérer une autre caméra afin de remplacer celle qui fait maintenant le ravissement de la petite famille *lémurienne*.

Aussitôt la substitution effectuée, Théo s'est remis au lit pour finir sa courte nuit. Au matin, fidèle à sa mission télévisuelle, il se plante à nouveau sur la plage et commence son introduction matinale.

— Debout, les amis ! Il est temps de se préparer.

Personne ne réagit. Un silence inquiétant a failli donner le frisson à l'animateur en herbe.

— Une masse nuageuse s'approche de notre région et devrait amener des averses en fin de journée. Peut-être même un orage. Un gros orage... Vous savez, de l'eau... qui tombe un peu partout.

Toujours aucune réaction. Même pas un ronflement.

— Pour l'instant, il fait environ 24 degrés et ... et j'ai l'impression de parler tout seul !

—Allô-Allô! J'appelle ZéroZéro-Théo! Tu parles dans le vide, tout le monde est déjà parti. Terminé!

Effectivement, l'enthousiasme, l'attrait et même la convoitise ont précipité hors du lit nos chasseurs de trésor, ce matin. Y compris Martin qui les a suivis, six minutes plus tard. Ils n'ont pas osé réveiller leur guide Thé-Lé qui dormait d'un sommeil profond et serein.

Comme d'habitude, Diane et Elsa mènent la marche. Viennent ensuite Étienne, qui transporte quelques outils de sa fabrication, Monique qui le suit de près et Martin qui n'est plus qu'à quatre minutes derrière.

Selon la carte, il faut traverser la forêt jusqu'à la vallée. Mais on ne traverse pas la jungle comme un jardin botanique : de nombreux obstacles ralentissent et dévient leur déplacement. L'itinéraire est plus ou moins suivi. Mais comme la carte de Théo est fausse, ça ne change pas grand-chose au résultat de l'expédition.

— Qu'est-ce que c'est que ça, Diane ? s'interroge Elsa.

— Ben, ça alors ! C'est un précipice !

— Je sais bien que c'est un précipice, mais qu'est-ce qu'il fait là ?

— Ce n'est pas moi qui l'ai mis là, je te jure ! fait Diane, rassurante.

— Je sais bien, mais regarde sur la carte.

— C'est pourtant vrai, Elsa ! Il n'y a aucun précipice dessiné sur la carte.

— On s'est trompé quelque part. Il faut trouver un point de repère avant de continuer plus loin dans la mauvaise direction.

— De toute façon, c'est difficile de continuer à avancer avec un précipice devant nous. Il faut revenir sur nos pas, affirme Diane avec sa logique inébranlable.

— D'accord, je reviens sur les tiens et tu reviens sur les miens.

— Ça marche !

En disant ces mots, le pied de Diane dérape, des pierres se détachent de la falaise et elle tombe dans le vide. Elsa se précipite pour tenter de la rattraper.

– BULLETIN SPÉCIAL – BULLETIN SPÉCIAL – BULLETIN SPÉCIAL –

Nous devons interrompre la programmation en cours pour vous informer d'un terrible événement. Comme vous le savez, Yvan Daissallad, l'adjoint du premier ministre, s'est perdu sur l'autoroute. On apprend à l'instant qu'il s'agissait de son épouse qui est partie à un rendez-vous chez son dentiste. Donc, on ne sait toujours pas où monsieur Daissallad est perdu. Plus de détails lors de notre prochain bulletin.

Ici Émile Mévil, au salon de bronzage Cocktail Soleil à Saguenay.

– BULLETIN SPÉCIAL – BULLETIN SPÉCIAL – BULLETIN SPÉCIAL -

12 ans 3/4 et plus	V

Avertissement

Cette émission est susceptible de contenir des scènes qui pourraient ne pas convenir à certains téléspectateurs. La supervision des parents est conseillée.

*

— Diane ! Diane ! crie Elsa, désespérée.

Elsa n'a pas pu rattraper Diane. Elle ne la voit plus. Elle se sent responsable et reste sans voix. Le silence de la mort vient de l'envahir. Autour d'elle, les couleurs s'effacent, tout devient gris.

— Elsa ! Je suis là !

— Mais non ! Je t'ai vue tomber... Diane ? **Diane !** Tu es vivante ?

— Je crois que oui. Je suis sous l'escarpement de calcaire. Je me suis agrippée à une caméra vissée au roc.

— Une caméra ? Tu en es sûre ! demande Elsa.

— Exactement. Je ne sais pas ce qu'elle fait là, mais si je connaissais celui qui l'a mise ici, je l'embrasserais.

— Maintenant, faut trouver un moyen de te remonter.

*

Au même moment, affairé à transporter ses outils sans en échapper, Étienne a pris un autre chemin et il se retrouve devant un marécage en compagnie de Monique.

Ce marais, également, n'est pas sur la carte, mais comme c'est Diane qui possède cette fameuse carte, personne ne s'en est aperçu. Un doute germe dans l'esprit angoissé de Monique.

– Je crois que l'on n'est pas sur la bonne route, Étienne. On va se faire dévorer par des mouches tsé-tsé. Faisons demi-tour.

– J'y avais pensé, Monique, mais j'ai changé d'idée.

– Pourquoi ?

– Regarde !

– Où ça ? Ah, là, le crocodile ... **Un crocodile !**

*

Pendant ce temps, Martin marche droit devant lui sans vraiment porter attention à ce qu'il fait ni où il va. Il suit plus ou moins ses amis au son de leur voix. Occupé à observer la tranquillité et la sérénité de cet univers de paix, il se retrouve les deux pieds bien plantés dans un étang de sables mouvants. Plus il bouge, plus il s'enfonce.

Heureusement, Martin n'a jamais vraiment beaucoup bougé alors, il s'enfonce lentement. Mais il s'enfonce quand même.

*

En ce qui concerne le crocodile, ça se passe curieusement. En tout cas, pas tout à fait comme on serait en droit de s'y attendre.

— Étienne ! Qu'est-ce qu'on fait !? Qu'est-ce qu'on fait !? Qu'est-ce qu'on fait !? Qu'est-ce qu'on fait !? Qu'est-ce qu'on fait !?

— D'abord, on se calme.

— Impossible ! Essaie autre chose !

— Je ne sais pas, Monique. C'est la première fois que je suis coincé entre un crocodile et des mouches tsé-tsé.

— Lance-lui un de tes outils !

— Mais il ne saurait pas quoi en faire.

— Mais non, Étienne ! C'est seulement pour lui faire peur.

Plutôt encombré, Étienne réussit à lancer une pioche qui tombe juste devant le reptile affamé. L'animal ne réagit pas, il n'a même pas sursauté.

— Tu vois ! Je te l'avais bien dit.

— Au moins, moi j'essaie de trouver une solution. Qu'est-ce que tu proposes, maintenant ?

— Crie de toutes tes forces. **Elsa ! Diane !**

— **Elsa ! Diane ! À l'aide !**

*

Du côté de Martin, la situation est plutôt stable, mais un peu plus profonde. Il aperçoit une longue branche tordue sur le sol. Il l'empoigne fermement et tire. La branche est en réalité un boa de trois mètres qui se demande qui peut bien le tirer par la queue comme ça. Lorsque Martin comprend sa méprise, le boa le regarde droit dans les yeux.

*

— Elsa ! va chercher les autres ! Les vis qui retiennent la caméra au roc commencent à se dégager. Il faut faire vite !

— J'y vais !

Elsa descend la pente au triple galop. Au bout d'un court instant, elle s'arrête. De sa position, elle aperçoit Étienne qui tente de protéger Monique d'un crocodile. Un peu plus loin, Martin, en tête-à-tête avec un boa, se retrouve presque complètement enseveli dans les sables mouvants.

Elsa comprend qu'elle est la seule personne à qui il n'arrive rien. Quelle chance elle a ; une journée idéale pour acheter un billet de loterie. Elle réussit à décrocher une liane qu'elle attache solidement à une grosse pierre. Elle se dirige ensuite vers Diane, au bord du délire, qui sent une tarentule lui grimper sur le dos. Ce n'est pas qu'elle ait peur des tarentules, mais elle est très chatouilleuse.

— Lâche pas, Diane !

— Je ne tiens plus que par une vis ! As-tu trouvé de l'aide ?

— Oui ! Moi ! Accroche-toi, liane, je te lance une Diane (à moins que ce ne soit l'inverse).

À l'aide de cette corde de fortune, Elsa tire de toutes ses forces et ainsi Diane parvient à remonter. Tout en haut, les filles se regardent brièvement puis se jettent dans les bras l'une de l'autre.

Toutes ces émotions ont un peu ébranlé un ridicule petit caillou qui retenait la grosse pierre. Celle-ci perd son équilibre et commence à dévaler la pente. Elle écrase quelques arbustes, brise des branches et projette un acacia juste au-dessus de Martin qui l'empoigne et se tire de son pétrin en jetant un regard narquois sur le boa qui ne comprend toujours pas ce qui se passe.

La pierre continue sa descente jusqu'en bas et s'arrête au pied d'un eucalyptus en plein sur la queue du pauvre crocodile qui a si mal qu'il se met à pleurer à chaudes larmes. Étienne et Monique décident de ne pas rester pour le consoler et déguerpissent à toute allure.

Rapidement, les apprentis explorateurs parviennent à se rejoindre dans la vallée. Même s'ils en ont très envie, personne n'ose raconter sa mésaventure. Ils ont l'impression d'être les seuls à avoir fait une bêtise et ils craignent d'être ridicules aux yeux des autres amis.

— Je suggère que l'on reste regroupé, maintenant.

— Bonne idée, Diane !

— Si ça peut nous permettre d'être ensemble, je suis d'accord.

— Monique, est-ce que tu es blonde naturelle ?

— Oui, pourquoi, Martin ?

— Pour rien.

Sans moi, je ne suis rien

Voici le disque de l'année par le chanteur de l'année dernière : Bastien Fabien Therrien

1. Mon amour t'appartient alors laisse-moi la maison
2. Qui t'écœure après neuf heures ?
3. Depuis que tu n'es plus là, je suis seul dans mon couple

Enregistré dans le sous-sol de l'église Saint-Stanislas-Nord, accompagné par la chorale du cercle des fermières de Saint-Stanislas-Ouest

4. *Dis-moi encore que tu es partie*
5. *Te souviens-tu de nos souvenirs perdus ?*
6. *Prouve-moi que je t'aime toujours*

Procurez-vous le disque qui nourrira votre silence

7. *Sans moi, je ne suis rien*
(version disco)

Des chansons qui vous rappelleront à quel point vous êtes seul-e et désemparé-e.

En vente dans la plupart des pharmacies Gens MOULUS.
Malentendants s'abstenir.

Septième épisode
Après l'escalope

Pou’ une bonne bwicolage, choizissez **Outils d’entrepôt.**

Chez **Outils d’entrepôt**, on coupe le pwix avec le scie wonde. Tous les vendeus sont des bicoleuws. Ils aiment les outils et les outils les zaiment.

Chez **Outils d’entrepôt**, pas besoin d’êtwe bon bwicoleuw, nous avons des outils pouw wépawer le bêtise que vous faites.

Tu peux faiwe confiance avec nous, **Outils d’entrepôt**, pace que nous faisons confiance de vous. Nous avons qu'une pawole et on n'a pas peu' des mots pou' diwe toute que tu as besoin du jou' comme les nuits pendant un an, c'est le gawantie qui dit ça.

Avec **Outils d'entrepôt**, tu peux fewmer tes yeux avec nous twanquille.

Outils d'entrepôt

Des zoutils pou' avoiw le dénier maux.

— Si je me souviens bien, nous devrions être en plein dans l'escalope, en ce moment, annonce Martin.

— Vérifions sur la carte. Qui a la carte ? demande Elsa.

— La carte ! Je l'ai perdue dans le précipice, avoue Diane avec honte.

— Aucune importance. Le trésor est juste de l'autre côté des brocolis, là-bas. Grâce à l'imagination gastronomique de Martin, on n'a pas de difficulté à mémoriser la carte.

La vallée franchie, la jeune équipée arrive dans le boisé de brocolis qui la borde. En le traversant, ils remarquent une inscription taillée dans un tronc d'arbre : *La vérité est ailleurs*. Elsa s'exclame vivement :

— Ça y est ! Ça doit vouloir dire qu'on est près du but !

— Pourquoi ? demande Monique.

— Parce qu'on veut nous envoyer ailleurs…

— C'est vraiment pas bête, ça, Elsa.

— Merci, Étienne.

De l'autre côté apparaissent quelques dunes de sable et la plage… de sable également.

— Voilà ! nous y sommes ! déclare Diane.

— Comment le sais-tu ? demande Étienne.

— Parce que si on continue à avancer, on va devoir nager, répond Martin.

— Où faut-il creuser, maintenant ?

— C'est vrai, Elsa ! Maintenant qu'on n'a plus la carte ...

— Et avec quoi on creuse ? demande Monique. C'est quoi cette organisation, on n'est pas des taupes, nous.

— Si j'avais su, j'aurais pas v'nu ! rouspète Martin.

— Ça suffit ! Cessez de parler tous en même temps !

— Mais, il n'y a pas de X pour indiquer l'emplacement du trésor, Elsa.

— Le X est sur la carte, Monique, pas sur le terrain. Ce serait trop facile.

— Essayons de nous mettre dans la peau du pirate qui a enterré le trésor, suggère Diane.

— Je refuse de me mettre dans sa peau, il n'est sûrement pas propre, ce gars-là.

— Monique, tu exagères.

Chacun tente d'examiner les lieux en s'imaginant être un pirate. Certains fouillent du bout du pied dans le sable, espérant trouver un indice quelconque.

— Qu'est-ce que tu fais, Étienne ?

— Euh, tu vois, Martin, j'ai fabriqué un ... une ... c'est comme un appareil qui mesure l'inclinaison du sol par rapport à l'horizon en corrélation avec le pôle magnétique. En tenant compte de la force moyenne des vents et du pouvoir gravitationnel…

— Ça fait quoi, ton truc ?

— C'est pour avoir la météo.

— Pourquoi as-tu amené ça jusqu'ici ? On a plutôt besoin de quelque chose pour creuser. Si je veux savoir le temps qu'il fera, je n'ai qu'à lever les yeux et … Oh ! Regardez tous ces nuages.

— Tu as raison, une tempête vient vers nous. On ferait mieux de se grouiller, propose Elsa.

— Mais de quel côté faudrait-il se grouiller ? Je n'arrive pas à penser comme un pirate, se plaint Étienne.

Monique, qui ne participait pas vraiment au chantier, trouve la réponse.

— La plage, c'est du côté de la plage !

— Pourquoi tu dis ça ?

— Parce que je le vois, il est là !

— J'en crois pas mes yeux, balbutie Martin éberlué.

Juste devant eux, une malle est à demiensevelie dans le sable.

— C'est probablement les vagues qui l'ont dégagée. C'est super ! proclame Diane.

— Vite, apportons la malle au bungalow avant l'arrivée de la tempête, conseille Elsa.

Le coffre est trop lourd pour être transporté. Toute la bande rassemble ses forces pour le tirer. Elsa et Diane tirent par devant, Étienne et Monique de chaque côté et Martin, assis par terre, pousse avec son dos.

— Ça y est ! J'ai reçu une goutte d'eau.

— Tu crois que c'est la pluie, Martin ?

— Non ! c'est de la bave de mouette ! Bien sûr que c'est la pluie, Monique. Qu'est-ce que tu crois ?

— Ne sois pas si agressif, je veux simplement faire la conversation.

— C'est vrai ça, Martin ! Tu n'as pas plus de compassion qu'un guichet automatique.

— Je dois admettre qu'Elsa a plutôt raison.

— Bon, ça va, Étienne, tire.

Le ciel s'est lourdement assombri et menace de se déchirer à tout moment. Un vent fort et sans pitié se met de la partie. Et nos amis sont encore loin du bungalow.

Pendant le chemin du retour, le doute de Monique refait surface.

— Vous ne trouvez pas curieux que le plan ait omis plein de détails géographiques importants ?

— Peut-être que le pirate avait pris un autre parcours.

— Ou alors, la carte est fausse, Étienne.

— Réfléchis, Monique ! Comment la carte peut-elle être fausse s'il y a un coffre ?

— Regardez ce coffre, justement. Ça saute aux yeux qu'il est là depuis très longtemps. Alors que la carte est dessinée sur du beau papier rose identifié au *Princesse Cargo*.

— C'est pas bête, Monique. Quel fin limier tu es.

— Qu'est-ce que ça veut dire ?

— Je ne sais pas, Diane, mais c'est toujours ce qu'on dit dans ces moments-là à la télévision.

— Mais comment une fausse carte peut-elle nous amener à un vrai coffre ?

— Nous avons eu de la chance, Elsa, c'est tout, affirme Martin.

— Ça ne peut pas être le hasard, déclare Monique. Suivre une carte qui nous mène à un trésor, c'est très concret. Échouer sur une île au milieu de nulle part, ça c'est du hasard.

C'est alors que Diane intervient.

— À moins que, justement, le naufrage soit volontaire. Que tout ça soit une machination, une mise en scène…

— Mais, pour quoi faire ?

— Pour la télé, Monique ! Ça expliquerait l'hélicoptère et la caméra que j'ai trouvée.

– Quelle caméra ?

– Il y avait une caméra fixée sur la falaise, là-bas. Je parie qu'il y en a beaucoup d'autres. Il est probable que des centaines, voire, des milliers de personnes nous regardent en ce moment. Ils ont eu leur spectacle, il est plus que temps d'en venir au dénouement, maintenant. Suivez bien mon raisonnement ...

...ATTENTION...ATTENTION...ATTENTION...ATTENTION...ATTENTION...

– – – – – – – – – – – – – – – – – – – –
– – – – – – – – – – – – – – – – – – – –
– – – – – – – – – – – – – – – – – – – –
– – – –-

Nous devons cesser la transmission de l'émission en cours. Les techniciens ayant refusé de traverser la ligne de piquetage des employés de la cafétéria. Nous sommes dans l'impossibilité de continuer la diffusion de cette émission. En attendant le règlement de ce conflit, voici un peu de musique.

– – – – – – – – – – – – – – – – – – – –
– – – – – – – – – – – – – – – – – – – –
– – – – – – – – – – – – – – – – – – – –
– – – –-

Dm
C
Bb
C
Dm
Bb
C
Dm
Em
D
Em
D
Em
Fm
Eb

Dm C
B♭ C Dm
B♭ C Dm
Em D Em
D Em Fm E♭
3
E♭

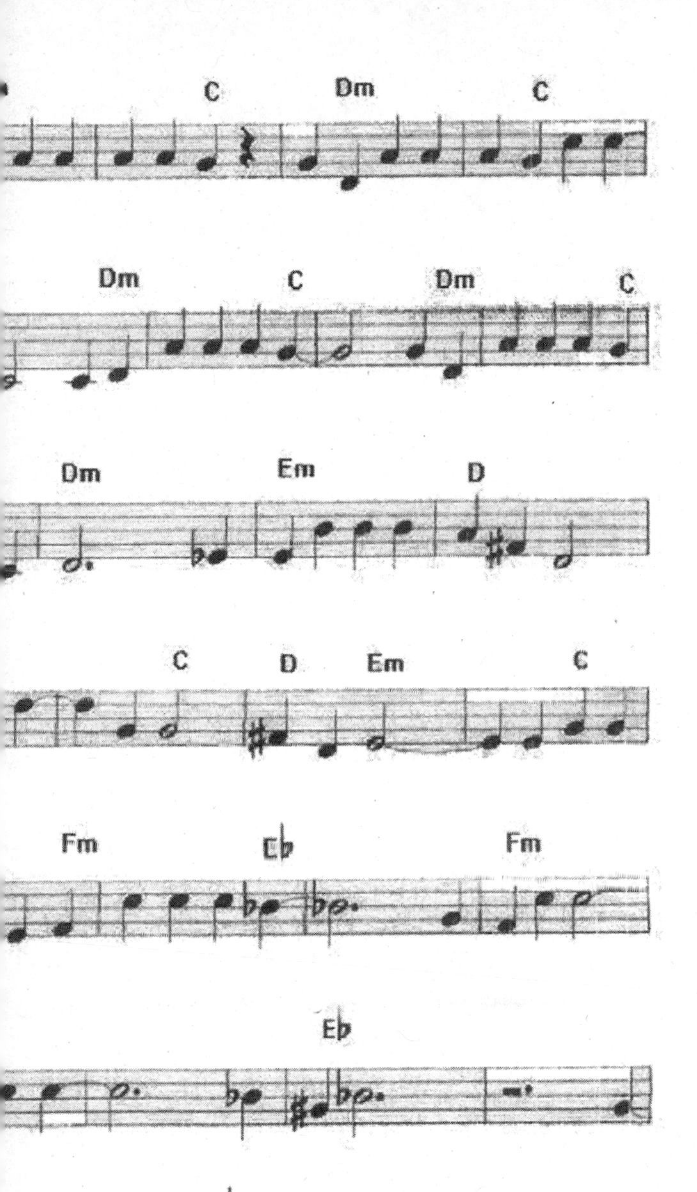
C
Dm
C
Dm
C
Dm
C
Dm
Em
D
C
D
Em
C
Fm
E♭
Fm
E♭

Huitième épisode

Autour du coffre

On se souviendra que nos aventureux amis, après avoir découvert le trésor, découvrent également qu'ils étaient, malgré eux, les héros de cette émission. Vont-ils céder à la panique? Suivons-les dans cette intrigue captivante.

Chéri !

— Chéri, où sont mes bas ?

— Dans le tiroir du haut de la commode, mon p'tit chat !

— Chéri, où est le beurre ?

— Dans la petite porte de la grosse porte du réfrigérateur, mon coeur !

— Chéri, où sont mes cravates ?

— Sur le support à cravates dans la penderie, mon p'tit primate !

— Chéri, où est ma tasse à café préférée ?

— Sur la tablette du haut du vaisselier, mon adoré !

— Chéri, où est mon chandail de laine gris ?

— Dans le troisième tiroir du chiffonnier, mon ouistiti !

— Chéri, où est ma montre en or ?

— Deuxième porte du petit buffet, mon trésor !

— Chéri, où est ma doudou ?

— Dans le coffre de cèdre au pied du lit, mon minou !

Les meubles ***Chéri !...***
pour l'homme
qui se cherche.

Lorsque les naufragés arrivent enfin, ils sont trempés. La pluie et le vent leur sont tombés dessus sans ménagement. Et ce n'est que le début de la tempête. Avec les orages tropicaux, on ne rigole pas.

—Allô-Allô! J'appelle Zéro-ZéroThéo! Qu'est-ce que c'est que cette histoire de trésor? J'ai pas ça sur mes feuilles de programmation. Je déteste les changements de dernière minute. TERMINÉ!

— Heureusement que nous avons nos maillots de bain sous nos vêtements.

— Pourquoi, Monique ? Tu crois que nous sommes moins mouillés avec des maillots de bain ?

— Non, mais c'est moins grave.

— Pour une fois, Monique a raison. Au lieu de nous plaindre sans arrêt, regardons les choses du bon côté, rétorque Elsa.

— Comme du côté du coffre au trésor, par exemple, dit Étienne, l'œil coquin.

— Exact !

Théo, éberlué, regarde ce qui semble bien être un coffre au trésor. Il ne comprend pas la présence de cette malle. Il a complètement improvisé en dessinant ce plan bidon. Jamais il n'avait été question d'un véritable trésor.

— Où avez-vous trouvé ça ?

— De l'autre côté des brocolis, tel qu'indiqué sur la carte, ou à peu près, répond Diane.

— Qu'est-ce que c'est que cette histoire de brocolis ?

— Aucune importance, Théo. Il faut maintenant trouver un moyen d'ouvrir ce coffre, enchaîne Martin avec enthousiasme.

— Justement, pendant votre conversation, j'ai fabriqué une barre à levier hydraulique pour faciliter l'ouverture de la malle…

— Le coffre, Étienne, pas la malle, reprend Elsa. C'est un coffre au trésor.

— Bon, qu'est-ce qu'on attend pour le voir ce trésor ?

— Tu n'as jamais été aussi éveillé que maintenant, Martin.

Ils sont tous réunis autour du coffre. Étienne, aidé de Martin, actionne le levier hydraumachin. En quelques minutes seulement, le couvercle se dégage, on entend un souffle en sortir. Un nuage de poussière s'échappe et s'estompe peu à peu.

Voilà, c'est ouvert !

Tout le monde est subjugué. Les yeux scrutent avec intérêt et stupéfaction le contenu incroyable du mystérieux coffre. C'est encore mieux qu'il …

– BULLETIN SPÉCIAL – BULLETIN SPÉCIAL – BULLETIN SPÉCIAL -

Nous devons interrompre la programmation en cours pour vous informer d'un fait nouveau dans l'affaire de l'adjoint du premier ministre, Yvan Daissallad. On apprend à l'instant que la police sait exactement où il est perdu. Pour des raisons de sécurité, il est préférable que les policiers en sachent davantage sur les raisons véritables du mystère avant de dévoiler l'intrigante vérité au sujet de quelque chose. Enfin... plus de détails lors de notre prochain bulletin.

Ici Émile Mévil, au salon mortuaire Gérard Mallet à Sept-Îles.

– BULLETIN SPÉCIAL – BULLETIN SPÉCIAL – BULLETIN SPÉCIAL -

— Incroyable ! Quelle découverte ! C'est super ! s'écrie Diane.

— Qui aurait cru qu'on aurait pu trouver tout ça dans un coffre, s'étonne Étienne.

— C'est merveilleux ! proclame Elsa.

Théo ne croyait même pas qu'il y aurait un coffre. En voyant ce qu'il y a à l'intérieur, il en est tout simplement renversé.

`—Allô-Allô! J'appelle le Zéro-ZéroThéo! Trouve le moyen de montrer l'intérieur du coffre. On ne voit rien d'ici. Terminé.`

Mais, rapidement, le contenu inimaginable et fantastique du coffre est relégué au deuxième plan. Dehors, la tempête fait rage. Les vents sont si violents qu'ils font craindre le pire.

— Si ça continue, tout le bungalow va y passer.

— Je suis désolé, Monique, j'aurais dû penser à construire des murs en béton.

— Étienne, faut pas t'en faire. Elle est quand même solide ta maison.

— Merci, Diane, c'est gentil. Mais, en es-tu certaine ?

— Pas du tout, je disais ça pour me rassurer.

Les palmiers sont secoués dans tous les sens, les vagues déferlent avec fracas sur les rochers. Le bungalow tout entier subit les assauts de la tourmente. Comme il n'y a rien de tangible qu'on puisse faire contre une tempête tropicale, Théo suggère d'aller au sous-sol qu'Étienne vient à peine de terminer. De toute façon, tout le monde est fatigué et il n'y a plus assez de lumière pour la seule caméra utilisable dissimulée dans la casquette du guide.

Étant donné que cette émission se termine plus tôt que prévu, nous vous présentons : **Les nouvelles de l'heure**.

LES NOUVELLES DE L'HEURE

— Mesdames et Messieurs, bonsoir. Ici Gérard Gratton.

Comme vous le savez peut-être, un groupe d'adolescents a fait naufrage sur une île déserte, en direct, à la télévision. Plusieurs personnes ont applaudi cette façon originale de faire de la télé. Toutefois, d'autres se questionnent sur la pertinence de mettre des vies humaines en danger pour divertir les téléspectateurs. Voici quelques commentaires recueillis dans la rue. Un reportage de notre envoyée spéciale : Judith Gratton.

— Les gens n'hésitent pas à témoigner de leurs émois face à ce phénomène. Voici quelques commentaires que j'ai recueillis sur mon trottoir.

— Désolé, je n'ai pas la télévision.

— Oui, je l'ai vu et je trouve révoltant ce qu'on fait aux animaux ... attendez, je crois que je me suis trompée d'émission.

— Moi, je ne suis pas d'accord avec ce genre d'émission. C'est plate. Il n'y a pas de meurtre, même pas de poursuite d'automobiles qui se rendent dedans.

— Rappelez-moi, le nom des acteurs, déjà ?

— J'écoute juste les émissions avec des recettes de cuisine.

— T'aurais pas trente sous pour un café ?

— On constate à quel point le public est consterné, voire indigné du drame qui menace notre jeunesse. Que fait le gouvernement ? Faut-il alerter les Nations Unies, la Société protectrice des animaux ou les Chevaliers de Colomb ? Voici ce qu'en pense le principal intéressé : le président de CAJT, M. Gratien Gratton.

— Ma femme et mes enfants adorent cette émission, je pense que ça veut tout dire.

— Effectivement, avons-nous besoin d'en dire davantage ? La famille a parlé et elle déclare haut et fort qu'il faut laisser ces jeunes sur cette île, où au fond, ils ne dérangent personne. Ici Judith Gratton, dans les studios de CAJT.

=====================================

=====================================

— Il y a eu également un incendie dans une usine de feux d'artifice, deux accidents d'avion et un coup d'état aux États-Unis, mais comme nous n'avons pas d'images, alors on passe à une autre nouvelle.

=====================================

=====================================

Pendant que l'on vous montre des gens anonymes qui marchent au centre-ville, voici les résultats du tout dernier sondage mené conjointement par le groupe Lourd & Lourd et le journal *ÇaPresse* :

* 24% ne répondent jamais aux sondages

* 37% sont sans opinion

* 26% ont refusé de répondre parce qu'ils croyaient qu'on voulait leur vendre quelque chose

* 48% n'ont pas compris la question

Les analystes se penchent sur ces résultats qui ne sont pas faciles à décortiquer. Un comité sera formé et d'ici quelques mois... on aura tout oublié.

==

==

— Enfin, nous avons appris le dénouement de la célèbre affaire Yvan Daissallad. Il semble que la police l'a retrouvé, ce matin, à son bureau, il buvait un chocolat chaud en regardant la télévision. Les policiers le cherchaient pour lui remettre une contravention de stationnement interdit devant le parc *Oh ! Maître*. Voici ce que le politicien a déclaré :

— Écoutez, je ne suis pas au courant de cette affaire. Je n'ai pas eu ce dossier en main. Il faut que j'en discute avec mes conseillers. Je promets de faire la lumière là-dessus lors de la commission d'enquête.

==

==

On apprend à l'instant qu'il y a une possibilité que la Gaspésie soit sur le point d'entrer en guerre contre ...

... on n'a plus de temps, malheureusement, il faut passer aux nouvelles du sport.

==

==

LES NOUVELLES DU SPORT

— Gilles Lavigne a remporté, une fois de plus, le championnat de quilles provincial qui s'est tenu cette année à Saint-Siméon. M. Lavigne a été si performant que le Canadien de Montréal songe à lui faire signer un contrat de deux ans.

==

==

LA MÉTÉO

— Il pleut.

==

==

— Voilà, c'est tout pour ce soir. Merci d'avoir été des nôtres. Au nom de toute l'équipe, je vous souhaite une bonne fin de soirée à notre antenne et à demain même heure, même chaîne. Bonsoir.

Fin de la programmation Fin de la programmation Fin de la programmation Fin de la programmation

Est-ce un roc ? Un pic ? Une péninsule ?
Non, c'est votre nez lorsque vous êtes congestionné.
Le nez bouché, les maux de tête et les sinus en zones sinistrées vous donnent l'impression d'avoir le mont Everest au milieu du visage ?
N'en faites pas une montagne, j'ai la solution : **Morvo-D-Bil**.
Avec **Morvo-D-Bil**, même un éléphant ne se trompe pas.
Finis les rhumes de cerveau, les retards au travail, le manque de concentration et la perte totale de vos facultés.
Morvo-D-Bil est spécialement conçu pour les fonctionnaires.
Grâce à **Morvo-D-Bil** vous retrouverez la protubérance nasale de votre enfance.
N'hésitez plus, **Morvo-D-Bil**, c'est pour vous.
Faites confiance à votre flair et suivez votre nez.

Merci **Morvo-D-Bil.**

Neuvième épisode
Changement au programme

On se souvient que, lorsque nous avons quitté nos amis, ils allaient tenter de se réfugier alors qu'ils étaient aux prises avec une terrible tempête tropicale. Vont-ils céder à la panique? Suivons-les dans leur circumnavigation.

À la campagne, on s'amuse ferme.
Venez à l'auberge *Le Buco-Lik*
où la nature est en harmonie
avec votre âme.
Toujours heureux, nous vous recevons
avec le sourire.
Pas de frontières, pas de barrières,
nos animaux de basse-cour habitent
avec nous.

À l'auberge *Le Buco-Lik*
vous vivrez sous le signe du partage
et de la fraternité.
On prend 85% de votre salaire
et on s'occupe de tout.

N'hésitez pas à vendre votre maison,
car vous n'en aurez plus besoin.
À l'auberge *Le Buco-Lik*, les *taureaux* et les
vierges doivent venir accompagnés.
Les *lions*, les *capricornes* et les *cancers*
doivent éviter de conduire leur véhicule
et les *gémeaux* ne devraient jamais
manger d'escargots à l'ail.
À l'auberge *Le Buco-Lik*, vous n'avez plus
besoin de réfléchir.
Rhéel, notre maître à penser,
le fait pour vous.
Abandonnez-vous au charme
de la campagne,
coupez vos liens avec la grisaille
des villes.
Rejoignez-nous et vous n'oserez
plus repartir.

L'auberge *Le Buco-Lik*,
pour changer d'univers.

Théo n'est pas le premier levé, ce matin. Inquiet du temps qu'il faisait la nuit dernière, il s'était donné pour mission de faire le guet afin de parer à toute éventualité. Il ne s'est endormi qu'à la fin de la tempête, vers trois heures.

Un à un, les rescapés sortent de la maison pour observer les dégâts causés par la tempête. Des cocotiers jonchent la plage, des tonnes de détritus sont éparpillés sur le sable de même que tout un lot de bananes en grappes arrivé d'on ne sait où. Martin s'étire longuement.

— AHHH ! Je crois que j'ai dormi pendant deux jours, cette nuit.

— Qu'est-ce que tu veux dire ?

— Laisse-le, Monique, c'est le jargon de Martin, le dormeur.

Tel que prévu selon la théorie de Diane, tout le monde se met à la recherche de la barque utilisée pour arriver sur cette île. Ils sont convaincus qu'elle ne doit pas être bien loin.

Effectivement, Elsa et Monique la découvrent dans une grotte, bien amarrée. Visiblement, Théo l'avait récupérée et cachée.

—Allô-Allô! J' appelle Zéro-ZéroThéo! Réveille!! Tes pions vont te mettre en échec ... **Théo!**

As-tu ton OREILLETTE!!!? J'te parle!! … Arrrgh, terminé!

Étienne jette un coup d'œil rapide à l'embarcation. Elle est relativement en bon état.

— Ce sera facile de la réparer. Il suffit de boucher le trou au milieu.

Étienne court dans la jungle et revient presque aussitôt avec une longue tige de bambou. D'un mouvement sec, il la plante dans le trou.

— Un peu de calfeutrage et le trou est bouché. Et en prime, ça nous fait un mât où l'on peut accrocher une voile.

— Étienne, tu es un génie ! s'exclame Elsa.

Tout le monde se met à la tâche et, rapidement, l'embarcation est prête. Pendant que l'équipage installe le coffre au trésor au milieu de la chaloupe, Théo émerge lentement de son sommeil sans se douter de la tournure des événements.

— Réveille-toi, Théo ! On est prêts à revenir à la maison, atteste Diane.

— Quoi ? Qui ? Comment ? … La barque ! D'où elle sort, celle-là ?

— C'est peut-être la tempête qui nous l'a servie sur un plateau d'argent, dit Elsa en se moquant.

— Je dirais plutôt sur un plateau de sable, poursuit Étienne.

— Oui, mais, bon, c'est une image, quoi !

Le guide croit rêver. Quoique dans son cas, ça s'apparente plutôt à un cauchemar.

— C'est... c'est pas possible ! Ça ne doit pas se passer comme ça ! Pas maintenant, c'est beaucoup trop tôt ! Il n'est même pas neuf heures. ...

— Le pauvre, il délire, pense Monique, inquiète.

— Tant pis ! On l'embarque comme ça. Il n'aura qu'à regarder la rediffusion de l'émission, proclame Martin.

À peine le temps de mettre sa casquette avec la micro caméra cachée et voilà Théo assis au fond de la barque. Un drap est fixé en guise de voile et, après une bonne poussée, les voilà partis vers le large.

Le guide est accablé. Ce n'est pas du tout ce qui était prévu. Un bateau devait venir les chercher dans deux semaines. Il avait même engagé un comédien pour jouer un indigène qui viendrait s'échouer sur la plage, vendredi.

—Allô-Allô! J'appelle Zéro-ZéroThéo! Depuis qu'ils ont remis le bateau à flots, c'est ta carrière qui est à l'eau. Ter-mi-né!

Nostalgique, Étienne regarde toutes ses inventions abandonnées sur l'île. Il venait tout juste de terminer le broyeur à déchets à énergie solaire. Elsa s'approche de lui tout doucement.

— Ne t'en fais pas, Étienne. Tu feras encore mieux à ton prochain naufrage. Et tu sais quoi ? J'espère que je serai là aussi.

Puis elle lui donne un tendre baiser.

— Regardez là-bas ! Des dauphins !

— Des dauphins ? T'en es sûre, Diane ? demande Martin.

— Oui, regarde-les sauter.

Monique se lève et retire ses vêtements pour exhiber son maillot de bain.

— Que fais-tu, Monique ? questionne Théo.

— On est venus ici pour se baigner avec les dauphins, oui ou non ?

— Mais, les requins ? insiste l'ex-guide.

— Les requins ! ... On s'en fout ! dit Monique.

Monique saute à l'eau, oubliant toutes ses craintes, et suivie de tous les autres qui ne se font pas prier. Seul Théo reste au poste pour diriger l'embarcation et filmer ce qui semble être la conclusion de ce drôle de programme.

Chez **Angel Bougie,** on vous embaume
avec le sourire.
Notre service à la clientèle est reconnu
outre-tombe.

Nos bénéficiaires ne se plaignent jamais.
On s'occupe si bien d'eux qu'ils en ont le
souffle coupé.
Pour éviter toute erreur possible,
notre personnel distingué,
des bourreaux de travail,
n'hésite pas à vous chatouiller
avant de vous découper.
Si vous n'êtes pas mort, on vous retourne
chez vous, c'est garanti ou argent remis.
Pour un service rapide, nos corbillards

sont des voitures sport.
Si le défunt n'est pas enterré à l'intérieur
d'un délai de trente jours,
la livraison au cimetière est gratuite.
Profitez de notre spécial d'Halloween,

deux morts pour le prix d'un,
si exécutés la même semaine.
Un service en attire un autre avec
Angel Bougie, surtout si vous avez brûlé
la chandelle par les deux bouts !
On vous attend à notre journée
« cercueils ouverts » au cimetière
Côtes levées.
Vous constaterez l'étendue de notre
savoir-faire
et l'éternelle satisfaction
de nos anciens clients.
Un humoriste sera sur place pour vous
dilater la rate. Il est mourant !
Pendant cette tombola,
venez choisir votre bière,
on fournit les vers.
Avec **Angel Bougie**,
vous n'êtes pas mort pour rien.

Malgré le vent qui soufflait en sens contraire, Étienne a ramé jusqu'à Key West. De là, nos joyeux compères ont regagné le Québec en faisant du *pouce*, sauf Monique qui a fait de l'auto-stop.

Monsieur Gratien Gratton a organisé lui-même une émission spéciale où il a remis de magnifiques prix aux participants : un beau grille-pain et un coupon-rabais des pharmacies Gens Moulus.

Il en a profité pour annoncer qu'il engageait Martin comme directeur des émissions sportives grâce à son dynamisme et au sang-froid qu'il a manifesté pendant cette épreuve. M. Gratton a également embauché Étienne pour construire les décors et Elsa sera sa patronne. Pour son courage et sa détermination, Monique devient journaliste internationale et couvrira toutes les catastrophes naturelles. Diane réalise son rêve, car elle est maintenant responsable d'une série de reportages d'exploration à travers le monde. En ce moment, elle est déjà sur les traces de la dernière tribu de Pygmés géants.

Ah oui, Théo a été congédié.

Mais, à la suite de pressions du public, en particulier de sa nombreuse parenté, on l'a réembauché. Il est maintenant animateur, l'après-midi, d'une émission qui traite de l'hygiène des petits animaux. Cette semaine, le sujet est le bain du poisson rouge.

*

Pour les curieux et curieuses qui veulent savoir ce qu'il y avait dans le coffre, voici une liste détaillée de son contenu : premièrement, sur le dessus, il y a…

Censuré
Désolé, pour des raisons de sécurité nationale, le gouvernement des États-Unis ne permet pas de dévoiler le contenu d'un coffre trouvé dans l'État de la Floride, malgré les protestations de l'ambassade canadienne, du gouvernement canadien, des Canadiens de Montréal et de tous les employés de Canadian Tire.

tout ceci orné de jolis motifs de petits éléphants.

Voilà, vous savez tout maintenant.

Dans la collection Chat de gouttière

1. *La saison de basket de Fred*, de Roger Poupart.
2. *La loutre blanche*, de Julien Lambert.
3. *Méchant samedi !*, de Daniel Laverdure.
4. *Swampou*, de Gérald Gagnon.
5. *Zapper ou ne pas zapper*, d'Henriette Major.
6. *Un chien dans un jeu de quilles*, de Carole Tremblay. Prix Boomerang 2002.
7. *Petit Gros et Grand Chapeau*, de Luc Pouliot.
8. *Lia et le secret des choses*; de Danielle Simard.
9. *Les 111 existoires d'Augustine Chesterfield*, de Chantal Landry.
10. *Zak, le fantôme*, de Alain M. Bergeron, Prix Hackmatack 2004.
11. *Le nul et la chipie*, de François Barcelo. Lauréat du Prix TD 2005.
12. *La course contre le monstre*, de Luc Pouliot.
13. *L'atlas mystérieux*, tome 1, de Diane Bergeron. Finaliste au Prix Hackmatack 2005 et 2e position au Palmarès de Communication-Jeunesse 2005.
14. *L'atlas perdu*, tome 2, de Diane Bergeron. Finaliste au Prix Hackmatack 2006
15. *L'atlas détraqué*, tome 3, de Diane Bergeron.
16. *La pluie rouge et trois autres nouvelles*, de Daniel Sernine, Louis Émond et Jean-Louis Trudel.
17. *Princesse à enlever*, de Pierre-Luc Lafrance.
18. *La mèche blanche*, de Camille Bouchard. Finaliste au Prix littéraire de la ville de Qébec 2006.
19. *Le monstre de la Côte-Nord*, de Camille Bouchard.
20. *La fugue de Hughes*, de Carole Tremblay.
21. *Les dents du fleuve*, de Luc Pouliot.
22. *Tout un programme*, de Daniel Laverdure.
23. *L'étrange Monsieur Singh*, de Camille Bouchard.
24. *La fatigante et le fainéant*, de François Barcelo.